L'ESCOUADE FIASCO

Les éditions de la courte échelle inc.
160, rue Saint-Viateur Est, bureau 404
Montréal (Québec) H2T 1A8
www.courteechelle.com

Révision : Mélanie Roussety-Guégan

Dépôt légal, 2e trimestre 2014
Bibliothèque nationale du Québec

La courte échelle reconnaît l'aide financière du gouvernement du Canada par l'entremise du Fonds du livre du Canada pour ses activités d'édition. La courte échelle est aussi inscrite au programme de subvention globale du Conseil des arts du Canada et reçoit l'appui du gouvernement du Québec par l'intermédiaire de la SODEC.

La courte échelle bénéficie également du Programme de crédit d'impôt pour l'édition de livres — Gestion SODEC — du gouvernement du Québec.

Catalogage avant publication de Bibliothèque et Archives nationales du Québec et Bibliothèque et Archives Canada

Champagne, Julie, 1981-
L'escouade Fiasco
Sommaire : t. 3. La riposte de la crevette.
Pour les jeunes de 12 ans et plus.
ISBN 978-2-89695-283-0 (vol. 3)
I. Champagne, Julie, 1981- . Riposte de la crevette. II. Titre. III. Titre : La riposte de la crevette.

PS8605.H351E82 2013 jC843'.6 C2013-941486-X
PS9605.H351E82 2013

Imprimé au Canada sur les presses de l'imprimerie Gauvin

L'ESCOUADE FIASCO

LA RIPOSTE DE LA CREVETTE

TOME 3

Julie Champagne

la courte échelle

À ma grande amie Marie-France
Qui m'a appris à rire de la vie
Dans ses hauts comme dans ses bas…

AVERTISSEMENT

Aucune crevette n'a été maltraitée durant l'écriture de ce roman. Seul leur orgueil a été durement écorché.

JOUR 1

LA CHASSE AU BOA

Le soleil de septembre me fait plisser les yeux. Je vois des autobus jaunes, cordés dans le stationnement. Je vois des étudiants qui se racontent leurs vacances. Je vois Marisol qui discute avec un blond aux yeux de crapaud. Je vois Jean-Simon qui essaie de me montrer les innombrables options de son nouveau sac ergonomique.

Mais je ne vois pas celui qui mobilise chaque neurone de mon cerveau. Thomas Saint-Louis.

Ce matin, mon demi-dieu devait affronter le retour en classe avec tous les élèves du Collège Saint-Antoine. Pour une raison qui m'échappe totalement, il ne se trouve nulle part.

Serait-il inconscient sur le carrelage de sa salle de bain, intoxiqué par un dentifrice blanchissant périmé ? Aurait-il été kidnappé par une civilisation extraterrestre qui souhaitait percer le secret de ses divins mollets ?

Impossible de trouver une explication logique.

— Tu as vu ? délire Jean-Simon en agitant son accessoire dernier cri sous mon nez. Il y a même une pochette isotherme Celcius3000 pour les bouteilles !

— Ne le prends pas mal, mais je me fiche royalement de ta pochette Iso-Machin3000…

Mon ami me lance un regard meurtri, puis il ouvre un de ses autres compartiments avec une tendresse infinie. Marisol trottine vers nous, le dos courbé par sa cargaison de fournitures scolaires.

— William est affirmatif: la cible n'était pas dans le bus ce matin.

Mes poumons se compriment au point de couper ma respiration.

— Je ne comprends pas, dis-je avec angoisse. La répartition des classes de secondaire trois aura lieu dans vingt minutes. Où peut-il bien être ?

— Il doit forcément se cacher quelque part, assure ma meilleure amie en scrutant les alentours, la main collée en visière sur le front.

L'heure est grave. Je pourrais facilement me rouler en boule sur l'asphalte et pousser des hurlements déchirants, comme un vieux loup esseulé un soir de pleine lune. Mais je ne le ferai pas.

Au lieu de sombrer dans la folie, je vais tenter de retrouver mes esprits en organisant une battue avec un commando de premier choix. Beaucoup plus mature.

— Tu as raison. Il faut agir avec calme et méthodologie. Marisol, tu ratisses la zone autour des fontaines. JS, tu fonces à la cafétéria et tu inspectes la foule pour traquer la cible au plus vite. Je continue de monter la garde au stationnement. Le plan est clair ?

Ma meilleure amie acquiesce d'un hochement de tête, mais le deuxième soldat, plus récalcitrant, continue les fouilles spéléologiques des profondeurs de son sac.

— Je ne veux pas te vexer, Émilie, mais je préférerais me faire recruter comme homme-canon plutôt que de participer à une mission de votre escouade Fiasco.

— Tu devrais avoir honte de te regarder la mousse de nombril, accuse Marisol en plissant ses yeux noisette. Je te rappelle que nous sommes en plein drame humain : un étudiant manque à l'appel !

— Thomas Saint-Louis ne manque pas à…

Je bondis sur mon ami et couvre sa bouche de ma main pour interrompre le flot de ses révélations.

— Ne prononce plus jamais son nom en public ! Des oreilles ennemies pourraient surprendre notre conversation et deviner mes sentiments.

Jean-Simon tente de se dégager de sa muselière en soufflant fort dans ma main, ce qui produit une série de bruits tonitruants. Son petit concerto de trompette retentit dans la cour. Trois étudiantes qui jasaient sur un banc me dévisagent comme si mes intestins souffraient d'un surplus de chili con carne.

Super.

— Même un télépathe certifié ne pourrait pas deviner tes sentiments, échappe-t-il une fois libéré de son bâillon. Tu ne lui as pas adressé la parole une seule fois au cours des quinze derniers mois.

— Faux. Tu as visiblement oublié notre conversation du 22 novembre.

Marisol et moi avions mis deux jours à peaufiner les détails de notre stratégie. Je devais entamer la discussion en lui demandant l'heure et enchaîner tout naturellement avec le dernier test de science physique, le prix exorbitant du baril de popcorn au cinéma et la couleur thématique de notre futur mariage. Une tactique infaillible.

— Tu veux parler de la fois où tu lui as récité un monologue confus avant de prendre la fuite et de foncer brutalement dans un poteau de basketball ? raille mon ami. Je crois que toute l'école s'en souvient.

— C'était une petite collision sans gravité.

Regards dubitatifs.

— D'accord, mon nez avait triplé de volume et mon manteau était constellé de sang, mais avec le recul, vous ne trouvez pas que l'anecdote est plus amusante que honteuse ?

Silence inconfortable.

— Je suis certaine qu'il a été attendri par mon bafouillage et mes larmes de douleur.

Bruits de criquets.

— En tout cas. Il me semble que la maladresse est un défaut charmant.

— Je vais à la cafétéria, se contente d'annoncer Jean-Simon en sortant un billet de sa poche. Ne vous faites pas d'illusions. Je ne compte pas chercher le disparu, mais acheter un bagel aux quatorze grains entiers. Je me suis ennuyé de leur texture sablonneuse durant les vacances. Bonne humiliation !

Il incline son corps interminable dans une révérence moqueuse et file vers le paradis du tofu insipide.

— JS est chanceux que je sois en pleine mission, menace Marisol, parce que sinon, je lui percerais les globes oculaires avec mon épingle à cheveux.

La main crispée sur son arme capillaire, elle pique rageusement une cible invisible, puis elle noue sa longue tignasse au-dessus de sa nuque.

— Je vais faire le guet autour des fontaines, conclut ma complice. Promets-moi de te tenir loin des poteaux de basketball. Je ne pourrai pas supporter une autre effusion de sang.

Elle réprime un haut-le-cœur, se dirige vers la porte et entre dans l'établissement avec détermination.

Si Thomas se cache dans les parages, ma meilleure amie le trouvera en deux temps, trois cillements. Elle est tellement minutieuse qu'elle pourrait retrouver un ongle cassé dans une croustade aux pommes.

En attendant son rapport de surveillance, je décide de passer la cour au peigne fin. Je zigzague entre les autobus. Personne. Je butine autour des tables de pique-nique. Aucun indice de mon demi-dieu. J'épie les conversations des étudiants. Rien de rien ne filtre sur mon futur mari.

Inconscients de la tragédie qui se déroule sous leurs yeux, mes condisciples jasent de coups de soleil et de barbotines aux framboises, visiblement satisfaits de leurs vacances.

Ce qui n'est pas mon cas.

Mon été loin de Thomas a été un supplice de tous les instants. Certains soirs, le fardeau de mon amour secret pesait si lourd que je traînais dans les rues comme une âme en peine. Je pillais les platebandes de mes voisins et je sondais les sentiments de mon demi-dieu en dépouillant les fleurs de leurs pétales.

Je sais. C'est une occupation un peu, beaucoup, passionnément débile. Il faut croire que la passion peut causer de graves lésions au cerveau. Et de graves dommages aux parterres du voisinage.

Je suis sur le point de contacter les journaux locaux pour les alerter de l'enlèvement de mon demi-dieu quand mon cellulaire vibre.

Marisol Langevin: Aucun signe du disparu. Foule compacte. Vision obstruée. Demande autorisation de grimper sur un banc pour repérer la cible plus facilement. Terminé.

Émilie Robinson: Autorisation accordée. Sois discrète.

Un nouveau message arrive dans la seconde suivante.

Jean-Simon Boissonneault: En direct de la cafétéria. Mauvaise nouvelle. La photo de Thomas Saint-Louis est sur les berlingots de lait. Selon la rumeur, les autorités auraient retrouvé un de ses bas blancs sur la berge.

Sacré Jean-Simon. Toujours le mot pour rire.

Pas question de perdre une minute, même pour lui envoyer une riposte cinglante. Le temps presse. Je dois poursuivre mes recherches avant que la directrice rassemble les troupes et prononce son traditionnel mot de bienvenue.

Je scrute les étudiants qui sortent dans la cour. Un chandail vert bouteille attire mon attention. Vanessa, un boa constrictor que Thomas prend pour son amoureuse, traverse le stationnement au pas de charge. Pour mieux visualiser, imaginez une créature mi-reptile mi-diablesse avec des yeux jaune moutarde, une langue fourchue et un long corps écailleux.

Bon. La langue fourchue est sans doute un produit de mon imagination. Mais tout le reste est vrai.

Analysons froidement la situation. Si la couleuvre rôde dans les parages, Thomas ne doit pas être bien loin. Je tiens donc une piste solide. Il suffit de suivre ma rivale pour localiser mon futur époux.

Mon cœur se gonfle comme un soufflé au four. Les retrouvailles approchent. Elles se limiteront sans doute à des regards furtifs et des soupirs étouffés, mais peu importe. Je m'ennuie tellement de Thomas que je ne m'attarderai pas sur ce genre de détails.

Une vibration brise mon euphorie.

Jean-Simon Boissonneault: Je viens de voir Marisol en sortant de la cafétéria. Elle est juchée sur un banc et chante une comptine pour une poignée de spectateurs hilares. J'imagine que cette mise en scène ridicule fait partie de votre plan?

Mais qu'est-ce qu'il raconte?! Ma meilleure amie ne chante jamais en public, et même quand elle fredonne quelques notes, dans un moment de distraction, ses inspirations musicales ne proviennent en aucun cas du répertoire jeunesse.

Elle doit forcément agir sous la contrainte. Je suis catégorique sur ce point.

Pas le choix de rebrousser chemin et de secourir Marisol des griffes de son bourreau. À la rescousse !

Je me retourne pour jeter un dernier coup d'œil vers ma cible. Elle marche maintenant vers les jardins, une zone interdite que la direction réserve aux activités spéciales et à la prise de photos annuelle. Autre fait surprenant, Vanessa se déplace en solo. En temps normal, elle ne quitte jamais ses trois apprenties couleuvres[1], pas même pour aller aux toilettes.

Mon instinct me dit que Thomas se trouve au bout de sa route. Je ne vois aucune autre explication possible. Romantique comme il est, mon demi-dieu doit l'attendre sous un érable.

Avec sa peau délicieusement bronzée.

Et ses mollets sublimes.

Hum…

Après réflexion, Marisol est une fille intelligente. Elle n'a pas besoin de moi pour se sortir du pétrin. Il serait probablement plus efficace que je poursuive ma filature.

Dilemme résolu !

Satisfaite de ma décision, je piste Vanessa en m'assurant de garder une distance prudente. Je ne

---

1. Capsule animalière : La couleuvre du Collège Saint-Antoine fait partie de la famille des *hystericus stupidus*. Son corps est couvert de paillettes bon marché. Cette seconde peau est rejetée lors de la mue, moment où le reptile ruse auprès de ses géniteurs pour obtenir une garde-robe plus tendance.

voudrais surtout pas éveiller sa méfiance, surtout qu'il n'y a personne d'autre dans les environs.

Ses talons aiguilles s'enfoncent dans la pelouse et laissent dans leur sillage une guirlande de trous suspects. Pratique si elle compte planter des bulbes de tulipes dans un avenir proche. Navrant si elle croit augmenter son potentiel de séduction avec sa démarche de vieillard claudiquant.

Le boa constrictor tourne sa tête dans toutes les directions. Son nouveau tic nerveux ne me dit rien qui vaille. Soit elle craint de se faire repérer, soit elle souffre d'une maladie mentale. Ou les deux à la fois.

Sans crier gare, Vanessa regarde au-dessus de son épaule. Son geste est si brusque que tout humain normal aurait brisé sa nuque sur le coup. Cette fille a assurément du sang de reptile dans les veines.

Pas le temps d'analyser mes options. Je me jette au sol comme si un commando terroriste venait d'ouvrir le feu et je me planque derrière les bosquets qui se trouvent à ma gauche.

Mon cerveau bascule en mode panique. À travers le feuillage, je peux discerner la silhouette de Vanessa, quelques mètres plus loin. Elle guette le moindre mouvement, le moindre bruit. Sa tension est palpable.

Les sens aux aguets, mon ennemie s'attarde longuement sur mon repaire feuillu. Elle avance de deux pas, puis elle se penche un peu afin de voir entre les branches.

Mon estomac me remonte dans la gorge. Je pourrais peut-être imiter le chant du merle pour brouiller les pistes ? Non. Ce serait une manœuvre kamikaze.

Je me contente de retenir ma respiration, comme si cette ruse de qualité discutable me rendait imperceptible.

Quarante-trois ans plus tard, ma cible hausse les épaules et abandonne sa mission de surveillance. Mes poumons expulsent leur air. Mes signes vitaux se stabilisent. Vanessa glisse la main dans la poche de son blouson, en ressort un miroir portatif et décide de se faire une beauté buccale, c'est-à-dire qu'elle se cure les dents avec son index comme une femme des cavernes.

Toujours aussi gracieuse.

Une fois son détartrage terminé, le boa se faufile entre deux buissons et disparaît du paysage.

Pourquoi prend-elle autant de précautions si elle compte retrouver Thomas sous un arbre, comme je le supposais en début de filature ? Il y a un truc qui cloche…

Et si, dans un sursaut de lucidité, Thomas venait de mettre un terme à leur relation ? Orgueilleuse comme elle est, Vanessa ne veut certainement pas étaler son désespoir sur la place publique, histoire de ne pas ternir sa réputation de tombeuse. Les filles populaires n'aiment pas noircir leurs joues avec des rigoles de mascara coulant, surtout devant une centaine de témoins.

Non. Cette explication ne tient pas debout. Personne ne se décrasse le dentier avant de déverser son chagrin.

Autre hypothèse. Au beau milieu d'une dispute de première classe, le reptile a étranglé Thomas de sang-froid. Le boa sadique arpente maintenant le terrain de l'école pour trouver un coin perdu où enterrer le corps de sa victime.

Attendez un instant.

La thèse du meurtre n'est pas aussi farfelue qu'on pourrait le penser de prime abord. Tous les indices convergent dans cette direction : la disparition inexplicable de mon demi-dieu, la nervosité de la suspecte numéro un, sa balade clandestine en zone interdite.

Je dois élucider cette affaire une fois pour toutes.

La tête farcie de scénarios sinistres, je sors de ma cachette et trottine vers la haie qui me sépare de la psychopathe. Je me couche sur le ventre et me glisse sous le buisson. Mes fesses et mes jambes dépassent largement, mes coudes s'effritent sur le sol rocailleux et les ronces me griffent le visage. Peu importe. Cette position grotesque ne m'offre qu'un camouflage partiel, mais elle me donne un bon angle de vue sur l'objet de mes soupçons. C'est le principal.

Vanessa fait les cent pas, le regard rivé sur sa montre. La minuscule parcelle de terre est entourée par des arbres et des buissons touffus. Les rameaux enchevêtrés forment un abri impénétrable, la pelouse ne semble pas avoir été tondue depuis la naissance de Jacques Cartier et les mauvaises herbes atteignent des dimensions inquiétantes. Au beau milieu de cette jungle amazonienne trône une grosse roche dont la forme rappelle celle du pain fesse.

C'est un endroit parfait pour se ressourcer loin des curieux. Ou pour détruire les preuves d'un crime sordide.

Je cherche une trace de terre remuée quand mon radar interne s'affole. Je me sens observée, démasquée. Pourtant, Vanessa scrute toujours les aiguilles de sa montre comme si elles étaient sur le point de lui réciter un poème en latin.

Pour tenter de me rassurer, je jette un œil furtif derrière moi et remarque deux ballerines rouges ornées de bulles métalliques qui se tiennent au niveau de mes genoux.

Oh, oh.

Je relève tranquillement la tête et découvre l'identité de ma poursuivante, un morceau à la fois, de bas en haut :

- de longues jambes autobronzées sans aucune démarcation ;
- des bras croisés qui dénotent un tempérament obtus et impatient ;
- des canines tranchantes comme celles du tyrannosaure.

Jade Cardin, reine autoproclamée de notre école et championne en titre de la fille la plus sournoise au monde, m'offre son magnifique sourire carnassier.

Je pourrais aussi décrire la Canine comme une opportuniste mal élevée, une chipie égocentrique, une ennemie sans pitié ou une prédatrice redoutable qui embroche sa victime en un seul claquement de mâchoire.

Mais par souci de concision, je me contenterai de dire qu'elle est la pire personne qui pouvait me surprendre en fragrant délit de surveillance.

LES DENTS DE LA MER

— Tu ne dois vraiment pas avoir de vie pour espionner celle des autres, crache-t-elle avec un rictus narquois.

Un peu en retrait, un gringalet au nez aplati assiste au spectacle. Il pousse un surprenant rire de cochon et caresse Jade du regard, admiratif devant son humour de haute voltige.

J'essaie de trouver une excuse crédible qui me permettrait de justifier le fait d'être face contre terre, le nez entre deux buissons, mais le langage me semble aussi inaccessible que si j'avais trois kilos de guimauve dans la bouche.

— Non… Je… Euh… J'ai perdu un de mes verres de contact, dis-je en farfouillant dans la terre.

Je ne porte ni lentilles ni lunettes. Comme quoi ma substance grise est vraiment partie se balader sur la lune.

— Tant pis ! Je serai à moitié aveugle pour le reste de la journée. Bon… On se revoit plus tard !

Je me redresse sur mes pattes flageolantes, puis je détale vers l'école sous les regards méprisants de la Canine et de son porcelet apprivoisé.

Je traverse les jardins en vitesse, comme si la fuite pouvait effacer le souvenir de mon humiliation. Mon écharpe de soie flotte dans le vent et ma jupe menace de dévoiler ma culotte fleurie au moindre coup de vent. Le stationnement est encore un lointain mirage quand les haut-parleurs grésillent une injonction formelle de la direction :

Les élèves de troisième secondaire sont priés de se rendre immédiatement au gymnase pour le mot de bienvenue et la répartition des classes.

Craignant de me faire expulser pour cause de retard injustifié, je pousse la machine au maximum. Il suffit de quelques enjambées pour que je transpire comme une marathonienne en pleine canicule.

Je franchis la porte au pas de course, sillonne les couloirs déserts et entre dans le gymnase transformé en auditorium pour l'occasion.

Assis sur des chaises disposées en rang autour de la scène, les étudiants exultent leur bonheur de se retrouver. Madame Blanchet, la directrice, ajuste la hauteur de son micro et sourit aux spectateurs, telle une rock star sur le point de conquérir son public.

Jean-Simon et Marisol agitent les bras pour capter mon attention. Soupir… Ils ne pouvaient pas m'attendre dans un petit coin tranquille, au fond de la salle. Non. Le destin ne m'offre jamais ce genre de cadeau.

Mes amis ont eu la gentillesse de me garder une place aux premières loges, pour être certains de ne rien manquer du discours de madame Blanchet, postillons inclus. La conséquence est claire, mais désolante : si je veux rejoindre mes compagnons, je n'aurai pas le choix de traverser la salle au grand complet.

Je fonce.

Les étudiants chuchotent sur mon passage. Pire encore, certains rigolent en me pointant du doigt. Je baisse la tête pour identifier les causes potentielles de cette agitation. Je vous laisse le soin de choisir celle que vous jugez la plus appropriée :

a) Ma jupe couverte de gazon, branchettes et autres plantes inconnues.

b) Mon chandail plissé comme un Shar-Peï.

c) Mes genoux terreux qui donnent l'impression que j'ai passé les trois derniers mois loin de toute installation sanitaire moderne.

d) Toutes ces réponses. Je suis une créature des bois !

Terrassée par la honte, je presse le pas en ne quittant plus le plancher des yeux. Autant en finir avec cette parade ridicule !

— Attends ! ordonne une voix féminine dans mon dos.

Je me retourne avec méfiance, pressentant une blague douteuse sur mon nouveau statut de souillonne. Une rouquine microscopique bondit de sa chaise et se penche pour ramasser un bout de tissu qui traîne au sol.

— Tu as échappé ton foulard, annonce-t-elle en me tendant mon écharpe.

Sa main secourable, son sourire compatissant et son charmant accent avec des « r » roulés me redonnent courage. Malgré ma respiration sifflante et mon accoutrement douteux, je tente de rester digne en marchant le menton haut et fier. Encore plus audacieux, je soutiens le regard de mes observateurs, comme si mon allure de sauvageonne était pleinement assumée et affreusement tendance.

— Dépêchons ! commande madame Blanchet aux derniers retardataires.

Je me retourne rapidement. Vanessa, Jade et son porcelet de compagnie prennent place au fond du gymnase. La Canine me détaille de haut en bas et souligne mon fiasco vestimentaire en levant son pouce avec mépris.

On éteint les lumières, ce qui a pour avantage de dissimuler mes blessures de guerre. La directrice déroule une toile blanche sur laquelle on peut voir un cliché représentant des élèves extatiques, la main pointant le plafond. On semble vouloir nous faire croire que chacun se meurt d'énumérer les dix-huit familles du tableau périodique par ordre décroissant d'électrons.

Alors que la direction du collège se charge de ressusciter notre enthousiasme académique, je me faufile au premier rang, me cogne un orteil contre le pied de la chaise, balbutie des excuses plus ou moins convaincantes et me laisse tomber entre Marisol et Jean-Simon, tel un béluga échoué sur la rive.

— Où étais-tu passée ? chuchote ma meilleure amie avec une pointe de reproche. Je te croyais morte écrasée sous un autobus !

Elle extirpe une brindille épineuse de ma tignasse noire et lance un regard interrogatif sur mes bras zébrés par les égratignures.

Bonjour à tous ! Nous sommes heureux de vous accueillir pour cette nouvelle année scolaire, une année que nous souhaitons riche en expériences, en apprentissages et en renc...

— Je suivais Vanessa, dis-je en murmurant. Elle tramait un complot obscur dans un coin perdu, au fin fond des jardins. Le feuillage était assez touffu pour cacher un corps ! Bref. Mon plan se déroulait sans accrocs jusqu'à ce que Jade me surprenne couchée dans les buissons.

— La Canine t'a surprise en plein espionnage au rocher fessier ?

— Tu connais cet endroit ! ?

... du respect des consignes. Je me permets donc de vous rappeler que le port de la casquette est interdit partout dans l'éco...

— Évidemment. C'est un secret de Polichinelle. Tous les couples s'y retrouvent.

— Pour quoi faire ?

— Ils jouent aux dominos et échangent leurs recettes de tarte aux pommes. Enfin, qu'est-ce que tu crois ? ! Ils pratiquent leur technique de respiration artificielle, loin du regard pudique des surveillants.

La honte empourpre mes joues. En tant que pauvre cruche qui vient tout juste de découvrir l'existence du rocher, je me sens aussi désirable qu'un mouchoir imbibé de mucus.

... accueillir monsieur Lamontagne, professeur d'histoire et responsable de votre cohorte pour la proch...

Un bicentenaire croulant traîne ses mocassins vers le micro. Son cardigan aux motifs campagnards et sa tignasse jaunie, qui doit contenir une demi-bouteille de mousse coiffante, semblent figés dans le passé. Le vieillard ajuste les deux loupes qui lui servent de lunettes et fixe son aide-mémoire.

Pas de doute, le corps professoral ambitionne de nous assommer à grands coups de discours somnifères. Je profite des grognements confus du fossile pour partager mes réflexions à voix basse.

— C'est tout de même étrange... Vanessa n'a jamais ressenti le besoin de se cacher pour enfoncer sa langue fourchue dans la bouche de mon demi-dieu.

— Si vous n'arrêtez pas de parler, interrompt Jean-Simon d'un ton réprobateur, vous allez vous attirer des ennuis et Marisol devra chanter une autre comptine. Mes oreilles ne supporteront pas un second traumatisme.

— Qu'est-ce que c'est que cette histoire ?

— Le surveillant m'a surprise debout sur un banc, raconte ma complice. Mais tu me connais, je ne supporte pas les missions inachevées. Je suis remontée quelques secondes plus tard en pensant que le champ était libre. Au deuxième avertissement, monsieur Gagnon était beaucoup moins indulgent. C'était la comptine ou le bureau de la directrice. Il se trouvait super inventif...

J'entrouvre la bouche pour la remercier de prendre autant de risques au nom de notre amitié, quand je remarque un silence suspect dans la salle. Mon interlocutrice fait probablement le même constat, car elle me lance un regard paniqué avant de lever les yeux vers la scène.

Monsieur Lamontagne a interrompu son monologue soporifique. Il écoute attentivement notre conversation, les bras croisés, comme s'il attendait la fin de l'anecdote.

— Y a-t-il quelque chose que vous aimeriez partager avec le reste du groupe, mademoiselle ? interroge l'australopithèque en dévisageant mon amie au-dessus de ses fonds de bouteille.

Embarrassée de se retrouver ainsi sous les projecteurs, Marisol secoue la tête en fixant ses pieds. Indiscrets comme une bande de paparazzis, les étudiants tendent le cou pour surprendre la mine penaude de la victime. La Canine en rajoute une couche en grimpant sur sa chaise, telle une hyène ignoble qui se délecte du malheur des autres.

Jean-Simon pouffe de rire. Je lui donne un coup de coude pour le ramener à l'ordre.

Je disais donc... Je ne peux trop insister sur le respect des règlements. Les élèves qui contreviennent au code de vie étudiant seront sévèrement RÉ-PRI-MAN-DÉS. En nouveauté dans les activités parascolaires, notons le trampoline acrobatique, le yodel tyrolien et la...

Assommée par les bavardages incessants du vieillard, je lutte contre le sommeil en gigotant sur ma chaise. Au fond du gymnase, Jade passe le temps en bécotant Cochon-Rieur. Si vous voulez mon avis, je le trouve bien imprudent de laisser des canines tranchantes vagabonder ainsi dans le creux de son cou. Une rupture de la carotide est si vite arrivée…

Deux rangs plus loin, Vanessa semble de fort mauvaise humeur. Du moins, c'est ce que laisse supposer la grimace de macaque qu'elle me décoche, quand elle me surprend en train de la regarder.

Au bout de notre rangée, David, capitaine de l'équipe de cross-country et collègue sportif de mon demi-dieu, me fait un signe de la main. Je lui retourne la politesse. Il me vient alors une idée de catégorie AAA.

J'extirpe un stylo et une vieille facture de ma sacoche, je rédige un message concis et fais circuler la missive de main en main jusqu'au destinataire:

Simple curiosité… Sais-tu où est Thomas?

Le grand blond sort un crayon de son sac à dos, griffonne une réponse et me retourne le billet:

Je ne sais pas trop. Quelque part au pays de Rudolf.

Si David ne sait pas où se cache mon demi-dieu, il peut aller droit au but. Inutile de masquer son ignorance avec un humour douteux.

… plaisir de vous annoncer que nous inaugurons cette année un nouveau programme d'échanges étudiants. Dix élèves du Collège Saint-Antoine auront ainsi la chance de passer la prochaine année à

l'étranger, de la France au Danemark en passant par le Japon. En secondaire trois, nous sommes heureux d'accueillir une jeune fille fort charmante qui arrive directement d'Helsinki.

Je plains le pauvre étudiant de notre école qui a été exporté en Finlande. Qui aurait réellement envie de croupir un an au pays des elfes et de…

Je me penche brusquement vers David en espérant déceler un signe de surprise, comme si tout cela était un simple concours de circonstances. En vain. Il me confirme plutôt la tragédie en se plantant deux crayons sur la tête afin de recréer le panache du renne au nez rouge.

Son imitation du ruminant aurait pu me faire rire si je ne venais pas d'encaisser le pire choc de mon existence.

Je pousse un couinement de désespoir et je m'affale sur ma chaise inconfortable. Thomas est parti en Finlande ! Pour dix mois. Sans moi.

Comment est-ce que je suis censée charmer l'élu de mon cœur avec mes réflexions hautement spirituelles s'il a été expédié au nord du 60e parallèle ? Mon avenir sentimental est foutu !

Marisol m'arrache le bout de papier des mains. Une fois mise au parfum du pire drame de ma courte vie, elle tend le billet à Jean-Simon, puis elle tente de me consoler en me caressant le dos.

— Mais pourquoi ne m'a-t-il rien dit?

— Voyons voir, réfléchit Jean-Simon en tapotant son menton avec son index... Peut-être parce que tu fonces dans un poteau de basketball chaque fois qu'il ouvre la bouche?

Ha, ha.

... je compte sur vous pour accueillir chaleureusement l'étudiante qui se joindra au groupe. Je vous la présente sans plus tarder, Mira Jarvinen.

Une jeune fille aux longs cheveux roux grimpe les escaliers sur le côté de la scène. Je reconnais tout de suite la ramasseuse de foulards.

C'est donc elle. Celle qui remplacera mon demi-dieu pour les prochains mois. Celle qui aura la chance inespérée de vivre dans sa maison, de dormir dans son lit, de faire sa lessive dans une machine qui a tant de fois lavé ses légendaires bas blancs.

Je pourrais bien sûr la tenir responsable de la déportation de mon futur mari, et par ricochet, la maudire de toute mon âme. Mais haïr une fille comme Mira est aussi peu naturel que de détester un chaton qui ronronne de bonheur.

Avides de potins croustillants, les élèves sortent de leur demi-coma pour dévisager la nouvelle comme si elle était un phénomène de foire.

Dans un geste malhabile, Mira trébuche et improvise un petit rond de jambe pour éviter le plongeon. Au lieu de dissimuler son faux pas, ma tactique de prédilection, elle assume pleinement sa maladresse et esquisse un sourire timide aux spectateurs. Avec sa taille de lilliputienne et ses adorables fossettes, Mira ferait craquer un mur de ciment armé.

— Voudrais-tu nous dire un mot ? encourage monsieur Lamontagne en lui tendant le micro.

— Euh… Mardi !

Je ne suis pas devin, mais je ne crois pas me tromper en disant que Mira ne voulait pas vraiment scander un jour de la semaine au hasard. Mon petit doigt me dit qu'elle souhaitait plutôt remercier la foule pour ses applaudissements polis.

Le lapsus est compréhensible, surtout pour une jeune Finnoise fraîchement débarquée en territoire francophone, mais cette malheureuse erreur de langage provoque tout de même l'hilarité générale.

Jade se tape sur les cuisses. Son cochon rieur frétille comme une tranche de bacon dans la poêle. Quelle bande d'imbéciles certifiés !

Madame Blanchet exige le retour au calme et commence la répartition des classes.

L'estomac vrillé par les crampes, j'attends le verdict en priant pour que je puisse partager ces longs mois de souffrance avec Marisol ou Jean-Simon.

Il me semble que cette bonne nouvelle mettrait un peu de baume sur ma plaie amoureuse.

Premier groupe. Les noms défilent par ordre alphabétique. Jean-Simon Boissonneault n'est pas dans cette classe. Marisol Langevin non plus. La liste est presque complète. Je retiens mon souffle une seconde, le temps que le couperet tombe :

— Émilie Robinson.

Pourquoi je ne me suis pas étouffée avec mon croissant du matin au lieu de vivre cette journée de malheur ? !

La directrice nomme trois ou quatre autres condamnés, puis elle nous ordonne de suivre madame Boudreau, la professeure de français.

Notre cortège avance silencieusement vers notre local. Je profite de cette étrange procession pour évaluer discrètement mes futurs compagnons de cellule. Il y a bien quelques visages familiers qui pourraient me dépanner en cas de pénurie de feuilles mobiles.

Du haut de ses deux pommes et demie, Mira avance en tête de troupe. Non loin derrière, Jade fait des messes basses avec sa célèbre brigade de la crétinerie, deux dindes nourries aux grains entiers et aux branches de céleri qui gloussent chaque fois que leur idole ouvre la bouche.

— C'est ici, annonce joyeusement madame Boudreau. Entrez, entrez !

Nous nous entassons comme des moutons dans une bergerie. Un mot de bienvenue avec arabesques et fioritures est dessiné sur le grand tableau vert. Les pupitres sont invitants, mais devant l'absence de consignes claires de la part de notre enseignante, tous les étudiants choisissent de rester debout.

Alors que la bergère guide les brebis égarées dans le couloir, Jade agrippe une brosse et la frotte sur le tableau pour l'enduire de craie, l'air de rien. Sous le regard amusé de ses deux amies gallinacées, la Canine approche son arme poussiéreuse du blouson noir de Mira.

Dans un acte de bravoure inattendu, je décide de court-circuiter le plan machiavélique de la Canine. Je dresse mon cartable en bouclier devant le blouson de Mira. Le geste est si sec que la brosse se cogne brutalement, formant un impressionnant nuage blanc. La poudre de craie retombe sur Jade comme une pluie de farine, couvrant sa mise en plis, son visage soigneusement tartiné et ses vêtements hors de prix.

L'image aurait pu être rigolote, si ce n'était le regard glacial de la Canine. En une fraction de seconde, son expression passe de la stupéfaction à la haine meurtrière.

Morte de trouille, je me cramponne à mon cartable comme à une bouée de sauvetage :

— Je ne… Tu ne devrais… C'est juste que…

Je réalise soudain que je bafouille devant trente paires d'yeux ébahis. Personne ne vient à ma rescousse. Personne ne se dévoue pour jouer les médiateurs. Livides, les spectateurs se contentent de guetter la scène, anxieux de voir quelle sera la réaction de leur reine offensée.

Je suis seule face au requin blanc.

Émilie contre les dents de la mer.

Madame Boudreau entre dans la classe avec deux lambins sur les talons :

— Mais qu'est-ce qui se passe ici ? s'exclame-t-elle en époussetant Jade comme un vieux bibelot. Allez tout de suite vous asseoir !

La foule se disperse. Je jette mon dévolu sur un bureau au fond de la classe, me laisse tomber sur ma chaise et pousse un soupir de soulagement.

Mira me suit dans mon repaire et élit domicile à ma gauche. Nous échangeons un sourire discret, comme deux survivantes qui se retrouvent saines et sauves après un cyclone de force cinq. Au fond, elle est le seul fil qui me rattache encore à Thomas Saint-Louis. Je me sens un peu responsable de sa bonne intégration, comme si elle était ma protégée par défaut.

Assise au centre de la pièce, comme une souveraine trônant au milieu de ses dociles sujets, Jade rudoie son sac et empile ses livres dans un fracas volontaire. Si elle était un personnage de dessin animé, la fumée sortirait de ses oreilles. Sa brigade de dindes observe la scène avec effroi, ne sachant trop comment apaiser la fureur de leur chef bien-aimée.

L'ambiance est à couteaux tirés, mais je m'en moque. Le dossier est clos. Je peux maintenant classer cet incident dans la catégorie des souvenirs hauts en émotions et savourer ma victoire contre les forces du mal. Le message envoyé aura été clair et limpide : quiconque s'en prend à Mira aura affaire à moi.

JOUR 2

TORTILLA NON GRATA

Mercredi midi. Marisol et moi sommes assises à notre table habituelle, coincées entre la poubelle et un mur maculé de taches suspectes. En observant bien, on peut même y déceler une explosion de sauce brune, vestige de l'époque où notre cafétéria servait encore de la poutine.

Mes soupirs se perdent dans le vacarme assourdissant des élèves. Je n'ai pas faim. Il faut dire que mon dîner rebuterait le plus creux des estomacs : soupe tiédasse, craquelins insipides et dessert maison calciné.

Ma belle-mère, Marion, insiste pour préparer mes lunchs. J'apprécie sa délicatesse, mais je ne peux malheureusement pas en dire autant de sa cuisine. Pour compenser ses lacunes gastronomiques, elle accompagne toujours ses mets désastreux d'un billet sympathique. Je partage avec vous le dicton du jour :

Si tu as la chance d'être différent, ne change jamais. Tay Lord-Swiss, chanteuse pop-country

Même si elle provient d'une superstar de la musique, la citation reste sans écho. Trop abattue pour avaler quoi que ce soit, je me contente de former un tourbillon dans mon bol de soupe au poulet.

— Tu essaies de noyer tes petits pois ? ironise Marisol en déballant son sempiternel sandwich BLT sans laitue ni tomate.

Je lui adresse un rictus douloureux que je souhaite à la hauteur de mon accablement.

— Tout le monde me fuit comme si je souffrais de la varicelle extra pustules, dis-je en poignardant mes nouilles avec mon couteau en plastique. Pendant le cours d'anglais, ce matin, personne ne voulait se mettre en équipe avec moi. Sauf Mira, et c'est seulement parce qu'elle ne réalise pas encore les conséquences de son geste.

— Qui ne voudrait pas travailler avec toi ? proteste mon amie avec véhémence. Tu es adorable, tu as toutes les notions scolaires imprimées dans le cerveau et tu fouettes le moral de tes coéquipiers en les gavant de bonbons surets. Ils ont simplement peur des représailles de Jade.

Malgré ses encouragements, je me sens toujours comme la fille la plus navrante sur terre. Normal, je suis une mal-aimée, une damnée, une plaie mise au ban de la société… Tout cela parce que j'ai un tout petit peu enduit la diva de notre école de poudre blanche.

Mira paie son duo quiche-salade à la caisse, puis elle vient nous rejoindre dans notre quartier général. Mes amis ont généreusement accepté qu'elle mange avec nous. Pour être honnête, je n'ai même pas eu besoin de les convaincre : il a suffi que Mira leur offre un biscuit finnois à la récréation pour qu'ils se jettent sur elle comme deux mouettes mal nourries.

Jamais personne n'était encore entré dans notre petit cercle fermé. Bon, je dois admettre que les candidats potentiels ne se bousculent pas au portillon, mais c'est tout de même une première qu'il importe de souligner.

— J'ai tellement faim ! annonce joyeusement notre recrue avant de piquer un concombre avec sa fourchette.

Une fraction de seconde plus tard, Jean-Simon la suit avec un plateau chargé de végétaux non identifiés. Avec sa pizza jardinière sur pita de blé entier, sa salade luzerne-roquette et son muffin aux dattes, il pourrait nourrir une caserne au grand complet. À condition que les pompiers raffolent des graines de lin et des germinations.

— Tiens ! Si ce n'est pas le clown bourru, lance Marisol d'un ton moqueur, avant de mordre dans son sandwich.

J'examine mon ami avec attention, perplexe quant aux raisons qui lui valent son nouveau surnom. Il ne porte pas de coquille rouge sur le nez. Il ne se balade pas avec un chien saucisse en ballon sculpté. Mais dans ses souliers format yéti, je remarque une chaussette orange et une autre rayée.

— Il faisait noir dans ma chambre, justifie mon ami avant même qu'on lui pose la question. J'étais en retard et j'ai pris les premiers bas qui me sont tombés sous la main. Quand j'ai réalisé qu'ils étaient dépareillés, dans l'autobus, il était trop tard.

Le clown délaisse ces futiles considérations vestimentaires pour extirper un brocoli de sa pizza. Son intervention chirurgicale est interrompue par Adam Brodeur, l'ancien amoureux de Marisol, qui fait un crochet vers notre table.

Comme les têtes de mort et autres imprimés macabres sont strictement interdits par le code de vie du collège, le cornichon certifié[2] a troqué son attirail punk-rock pour un jeans plutôt banal et un coton ouaté monochrome noirs. Ce qui ne l'empêche pas de dissimuler un ou deux bracelets de cuir cloutés sous ses manches.

Sans dire un mot, le rebelle endimanché dépose un pouding au riz brun devant ma complice.

---

2. Capsule alimentaire : Le cornichon adamien est une plante parasite. Certains lui trouvent un charme particulier. Personnellement, je le préférerais coupé en rondelles, puis broyé dans un pot de relish.

— J'ai pensé à toi en le voyant, délire le visiteur indésirable.

— Tu as pensé à moi devant une bouillie granuleuse, reformule mon amie avec perplexité…

— J'ai pris celui qui semblait avoir le plus de raisins secs, poursuit-il avec un regard admiratif. Je sais que tu les adores.

— Hum… C'est gentil, remercie Marisol avec son plus beau sourire commercial.

Ravi de son effet, Adam nous salue et sautille gaiement vers la sortie. J'attends que ses piquants métalliques soient hors de vue pour commenter cet étrange épisode :

— Il a bu sa bouteille de correcteur liquide ou quoi ?

— Adam est toujours amoureux fou de Marisol, intervient Jean-Simon en mastiquant comme un lama. Durant le cours d'histoire, il la fixait avec une telle intensité que ses yeux étaient sur le point de sortir de leur orbite. Marisol lui a alors adressé une série de mimiques interrogatives, ce qui lui a valu une copie.

— Au premier cours ?! Tu as pulvérisé ton record personnel.

— Ce n'est pas ma faute ! se défend mon amie, piquée au vif. Monsieur Lamontagne m'a prise en grippe. Sinon, comment expliquer qu'il me tape sur les doigts deux fois en autant de jours ?

— Peut-être parce que tu persistes à ne pas écouter ses consignes ? risque Jean-Simon.

Marisol lui donne une petite claque derrière la tête.

— Je vous jure que ce professeur me déteste. Hier, il m'a sermonnée devant toute l'école. Ce matin, au lieu de punir Charline et Sarah qui se racontaient leur vie au fond de la classe, il m'a punie pour une grimace inoffensive, alors que ses propres sourcils jouent au yoyo chaque fois qu'il ouvre la bouche !

Mira pouffe de rire. Elle prend son verre vide et celui de Jean-Simon, puis elle les colle sur ses yeux comme deux loupes déformantes :

— Les élèves qui contreviennent au code de vie seront sévèrement RÉ-PRI-MAN-DÉS, jappe-t-elle avec le timbre caractéristique de monsieur Lamontagne et en bougeant ses sourcils de bas en haut.

Au milieu de notre fou rire collectif, Jean-Simon avale sa bouchée de travers et met deux bonnes minutes avant de se remettre de sa quinte de toux. Notre effusion de joie attire les regards curieux de nos voisins de table, puis subit un decrescendo, le temps de retrouver notre souffle.

— En tout cas, que vous le croyez ou non, c'est la vérité, conclut Marisol, de nouveau dramatique. Tout autre élève s'en serait tiré avec un simple avertissement, pas avec une copie de cinq pages du mot

« Supercalifragilisticexpialidocious » à retranscrire en lettres arc-en-ciel.

— Je préférerais de loin rédiger une copie de cinq pages plutôt que de me faire regarder comme une lépreuse indésirable, dis-je en écrabouillant distraitement un biscuit soda.

— Si tu continues à triturer ta nourriture au lieu de la manger, je porte plainte pour maltraitance envers les aliments, s'énerve Marisol. Et puis, ton petit incident avec la Canine n'est pas irrécupérable. Il faut juste analyser la situation et échafauder un plan en conséquence.

— Sauve-toi avant qu'il ne soit trop tard ! scande Jean-Simon à l'intention de Mira.

Ma stratège officielle abandonne ses miettes de muffin, arrache la serviette de table coincée sous le pouding de Jean-Simon et griffonne un étrange gribouillis :

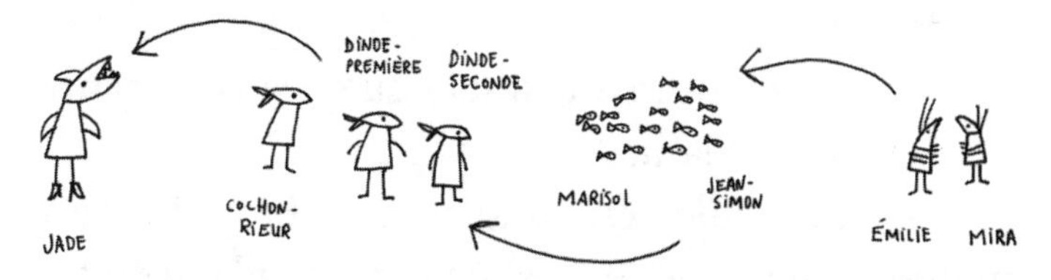

— Imagine la chaîne alimentaire de la mer, explique-t-elle avec un ton de grand sage. Au bout de la chaîne, on trouve Jade, le grand requin blanc, la super-prédatrice, avec ses dents aiguisées et sa gueule de tueuse en série. Personne n'ose contester sa domination par crainte de se faire embrocher en un seul claquement de mâchoire.

— À qui le dis-tu…

— On trouve ensuite les maquereaux, ses alliés naturels, puis les petits poissons, vifs et agiles.

— C'est n'importe quoi, cette analogie entre la hiérarchie de l'école et la chaîne alimentaire maritime, interrompt Jean-Simon… Une grosse flaque remplie de têtards serait une comparaison beaucoup plus juste.

— Pas dans la tête de Jade, persiste Marisol. Il faut que tu penses comme elle. Mets-toi dans la peau d'une coquille vide, ça t'aidera.

La sociologue amateur sort une pomme verte de sa boîte à lunch et croque une gigantesque bouchée avant de reprendre son discours.

— Depuis que tu as humilié Jade, tu as quitté le clan des petits poissons pour celui des crustacés, ce qui fait que…

— Es-tu en train d'insinuer que je suis un genre de crevette humaine ?

— C'est seulement une image. Et puis, c'est mignon, une crevette. Beaucoup plus qu'une huître ou un pétoncle, par exemple.

Hum… Son baratin ne me convainc pas du tout. Je médite toujours sur les qualités esthétiques de mon nouvel animal totem quand Jean-Simon bondit de sa chaise.

— Je dois vous quitter, annonce-t-il en jetant ses déchets à la poubelle. Je veux faire partie de l'équipe de basketball cette année et les inscriptions commencent dans cinq minutes.

Il court vers la sortie de la cafétéria, fait un saut, puis il touche le cadre de porte comme si c'était un panier. Jade Cardin fait son entrée au même moment. Impressionnée par la prouesse sportive de mon ami, elle pousse une exclamation joyeuse et lui donne une tape dans la main.

Étrange... Un croc-en-jambe aurait été beaucoup moins surprenant de sa part. Aurait-elle une double personnalité? Docteur Jekyll les jours pairs et Monsieur Hyde les jours impairs?

Assises en face de moi, Marisol et Mira n'ont rien vu de cette scène surnaturelle. Elles continuent de grignoter leur lunch en jasant des us et coutumes de la population finnoise.

Je délaisse les troubles mentaux de la Canine pour retourner à ma priorité du moment: jouer à la tague-aliment avec ma soupe.

Je pourchasse un cube de carotte quand Jade se rapproche dangereusement de notre table, escortée par Cochon-Rieur et Dinde-Première. Elle arbore son sourire de carnassier et ses plus belles lunettes griffées.

Ne vous fiez pas aux apparences. La fonction principale de ses montures noires n'est pas de corriger un trouble de la vue, mais de lui conférer un air tendance et intellectuel. Un objectif réduit à néant aussitôt qu'elle ouvre la bouche.

— Pauvre Mira... Tu devrais vite changer de shampoing avant que la rouille ne détruise complètement tes cheveux.

— Laisse-la tranquille, dis-je avec fermeté.

— De quoi tu te mêles, la Tortilla?

Marisol et moi échangeons un regard perplexe. Pourquoi diable me compare-t-elle avec une galette de maïs?

Dépitée par l'absence de réaction devant son commentaire désobligeant, elle renchérit dans la seconde:

— Je ne comprends pas pourquoi tu persistes à porter un soutien-gorge, la Tortilla. Ta poitrine semble être passée sous un rouleau compresseur.

Sa remarque assassine m'atteint de plein fouet. Mes joues s'empourprent. Ma gorge picote. Je crois discerner les grognements gutturaux de Cochon-Rieur, mais ils semblent lointains, comme si j'avais les oreilles dans l'eau.

Alors que Mira saute de sa chaise comme si elle était assise sur un siège éjectable, Marisol active son système de défense favori: la contre-attaque.

— Au moins, Émilie ne rembourre pas ses soutiens-gorge avec des mouchoirs.

Furieuse et incapable de réagir du tac au tac, Jade encaisse le coup en silence. Comme toute bonne chose a une fin, elle décoche une autre réplique cinglante.

— Tu as toujours besoin de ton avocate ou tu peux penser par toi-même ? me lance-t-elle avec une hostilité manifeste.

Je voudrais lui clouer le bec avec une repartie incisive, mais prononcer une phrase complète me semble aussi facile que de grimper le mont Everest sans oxygène.

Comment est-ce que je suis censée répondre à mes bourreaux alors que mes parents m'ont inculqué le respect et la politesse, deux handicaps de taille dans la jungle impitoyable de l'école secondaire ? Je dois me rendre à l'évidence : mon éducation ne m'a pas préparée à affronter pareille situation.

Je contemple ma soupe en espérant que les nouilles me dessineront la bonne réponse. En vain.

— Dommage que tu ne puisses pas en attendre autant de tes deux chiens de poche, crache Marisol en direction de sa garde rapprochée.

À court de vocabulaire, Jade décide de passer des paroles aux actes. Sans me quitter des yeux, elle pige dans mon sac à lunch, sort ma barre tendre et la croque avec une lenteur arrogante.

Toujours debout, Mira sort de ses gonds. Mais alors totalement. Elle échappe une série de mots finnois que je ne peux retranscrire, puis elle agite un index accusateur sous le nez de la Canine. Son teint de porcelaine habituel est constellé de plaques rouges et la veine de son front se gonfle sous le coup de l'émotion.

Autour de nous, les élèves ont interrompu leurs discussions pour mieux observer la scène. Ils nous regardent furtivement, entre deux bouchées de sandwich, soulagés que le requin ait choisi trois autres crevettes pour dîner.

Malgré les témoins (passifs) et les menaces (intraduisibles), Jade ne bronche pas. Bien au contraire.

Mon ennemie vole aussi ma pomme et mes craquelins, puis elle s'éloigne, emportant avec elle son butin et ses deux sbires. Elle semble satisfaite comme un requin devant un cocktail de crevettes tempura.

Soulagée par son départ, je ferme les yeux et laisse mon esprit vagabonder vers de sinistres scénarios de vengeance. Mira interrompt toutefois mes élucubrations :

— Ne t'en occupe pas, conseille-t-elle avec un air compatissant. Jade veut seulement attirer l'attention. On en reparlera en classe, si tu veux. Je dois partir. J'ai rendez-vous avec madame Boudreau.

Elle se redresse, dépose son plateau sur le dessus de la poubelle et quitte la cafétéria. Marisol brise aussitôt le silence, visiblement de mauvaise humeur :

— Personne n'a le droit de te parler comme une moins que rien. Et tu n'as rien fait !

— Faux. Je lui ai sorti mes yeux les plus méchants.

— Elle est partie avec ton lunch !

— Bof… C'est Marion qui a fait les barres tendres. Elle insiste pour préparer mes lunchs, et honnêtement, je préférerais qu'elle s'abstienne…

Marisol balance ses contenants vides dans son sac. Elle ne semble pas convaincue par mes explications. Moi non plus.

— Il faut que tu réagisses. Et vite.

— Je crois que je vais plutôt attendre que la tempête passe.

— Si tu continues à te faire piétiner comme un vulgaire paillasson, la tempête Jade va effectivement passer et elle détruira tout sur son passage. Toi, en particulier.

Je décide de ne pas écouter ses sombres prédictions. Pendant un court instant de démence et d'optimisme béat, je crois même que mon cauchemar est terminé. Après tout, Jade s'est vengée. Elle m'a donné un surnom débile, ses amis ont bien rigolé. Tout le monde peut tourner la page.

Apaisée par cette hypothèse encourageante, je me dirige vers les toilettes avec Marisol. Alors que mon amie entre dans la cabine du fond, je me lave les mains en scrutant mon reflet dans le miroir. Jade a raison. Ma poitrine est une triste plaine sans relief.

— J'ai une mauvaise nouvelle, annonce mon amie de l'autre côté de la cloison.

Et quoi encore… Je me précipite pour la rejoindre. Ce que je découvre me plonge dans une rage indescriptible. Inscrit au marqueur noir, sur la porte intérieure, se trouve un graffiti immonde :

Émilie Robinson,
alias la Tortilla,
cherche un
accompagnateur
pour aller au
rocher fessier.
AUCUNE candidature
ne sera refusée.
739 228-1938

LA CREVETTE CONTRE-ATTAQUE

C'était ma première matinée d'école. Malheureusement, j'ai le regret de vous annoncer que les heures suivantes n'ont pas été mieux.

Mon nouveau surnom s'est propagé aussi vite que la gastroentérite dans une garderie. Je ne compte plus le nombre de personnes qui m'ont appelée la Tortilla. Les plus hypocrites le faisaient dans mon dos, mais certains de mes détracteurs ne se donnaient pas tant de mal. Ils pouffaient de rire en louchant vers mes deux œufs au plat.

Bref, je n'ai jamais été aussi heureuse de retrouver le confort de ma chambre mansardée. Avec sa petite lucarne et son mur en pente tapissé de photos de mes amis, elle me semble plus accueillante que jamais, un peu comme un cocon infranchissable. Même l'ancienne commode de Marion trouve un certain charme à mes yeux, avec sa peinture écaillée et ses tiroirs capricieux.

Vautrée sur mon pouf rouge, je regarde Marisol faire les cent pas sur mon plancher de bois flottant, comme si elle était incapable de trouver un exutoire à son trop-plein de colère.

— La Canine dépasse les bornes, fulmine-t-elle en bottant une peluche égarée. Son graffiti n'est pas une vengeance comme les autres, humiliante mais vite oubliée. C'est une déclaration de guerre!

Marisol termine son discours en brandissant le poing en avant comme une arme de combat.

Mon cellulaire vibre. Je pousse un grognement exaspéré. Un dénommé LP me propose un rendez-vous secret au rocher fessier, demain midi. Aucune introduction. Aucune présentation. Je ne connais rien de mon soupirant, à l'exception de son approche bien personnelle de la grammaire et de son romantisme digne d'un marteau-piqueur.

C'est ma troisième invitation du genre en une heure. Apparemment, il y a encore quelques imprudents qui souhaitent sortir avec moi malgré mon statut de tortilla non grata.

Ce constat aurait pu flatter mon ego. Mais non. Pour tout dire, je rêve que mon téléphone cesse de sonner. Je voudrais me faire oublier, disparaître comme une miette de craquelin dans une fente de divan.

— Je ne comprends pas comment ces idiots ont fait pour obtenir mon numéro, dis-je en supprimant le texto. J'ai raturé les chiffres au marqueur noir tout de suite après avoir découvert le message.

— JS en a vu un identique dans les toilettes des gars, dévoile Marisol avec compassion. La Canine doit avoir un complice, probablement ce type qui rit comme un cochon qu'on égorge.

Si mon moral logeait au sous-sol, il vient tout juste de descendre dans la nappe phréatique. Qu'est-ce qui va encore me tomber sur la tête ? A-t-elle inscrit sa petite annonce dans les vestiaires ? Dans le journal de notre école ? Sur un de ces panneaux publicitaires qui bordent l'autoroute ? !

Marisol a raison. Le graffiti de Jade n'est pas le fruit d'une impulsion artistique entre deux cours ennuyants. Il marque plutôt le premier coup d'un long et rude combat.

Le requin de notre école a une dent contre moi, et connaissant le tranchant naturel de ses canines, le carnage est inévitable.

Je suis toujours sous le choc des manœuvres crapuleuses de mon ennemie, quand Marisol me bouscule une fois de plus avec cette histoire de représailles :

— Il faut organiser une contre-attaque, ordonne ma complice en sortant un cahier de notes de son sac.

— Je fige face aux insultes. Comment veux-tu que je riposte ? Le seul moyen de rester cool aux yeux de tous est de faire profil bas.

J'essaie de la convaincre en invoquant les moines bouddhistes et les pacifistes tibétains, mais au fond de moi, je sais bien que c'est faux. Je suis en train de perdre la face.

— Tu ne peux pas vivre dans la peur constante de croiser Jade au bout du couloir. C'est inhumain.

— Mais pas du tout… Ma demi-sœur, Kelly-Ann, me persécute du matin au soir et je m'en accommode parfaitement. Hier encore, elle a déposé un vieux rideau jauni sur mon lit en affirmant qu'elle l'avait pris pour un de mes chandails. Si ce n'est pas une preuve de mon exceptionnelle résilience…

Pour toute réponse, Marisol se contente de secouer la tête. Je tente mentalement de me persuader que j'ai la bonne attitude, que je suis tout à fait capable de vivre sans l'approbation des autres. Peu importe leurs railleries, je ferai la sourde oreille et je me cacherai dans les toilettes chaque fois que mon amie ne sera pas dans les parages pour me défendre.

C'est une solution viable, non ?

Un raffut de tous les diables interrompt le cours de mes pensées. Tim et Lucas, les éléments perturbateurs de la famille, ouvrent la porte et se précipitent dans ma chambre en courant, la seule cadence que connaissent leurs petites jambes. Blotti dans une poche de chemise, le hamster Diabolo expérimente malgré lui les effets de la vitesse du son.

Alors que Tim fonce sur Marisol comme un taureau en pleine corrida, mon amie saute sur mon lit métallique, évitant la collision de justesse. La mini-bête sauvage change de direction et ordonne l'assaut. Les jumeaux bondissent sur mon pouf, me renversent sur le dos et me couvrent de bisous-péteurs, leur marque de commerce.

Diabolo profite de la diversion pour effectuer un plongeon vertigineux de sa prison de textile. Il atterrit sur le plancher, un peu secoué, puis il détale vers le lit. Sensible à la cause animale, Marisol se penche pour secourir la mascotte du clan Robinson. Elle préfère de loin les rongeurs sans défense aux enfants turbulents.

— Mais qu'est-ce que vous avez mangé pour être aussi excités ?! dis-je en essayant de me libérer des envahisseurs.

Interprétant ma question au sens propre, Lucas sort de la pièce et revient aussitôt avec un bol rempli de gibelotte non identifiée. Sauf erreur, la pâte visqueuse semble se composer de yogourt aux bleuets, de compote de pommes et de craquelins au fromage en forme de poisson.

Je réprime une grimace.

— Goûte ! ordonne le marmiton au sourire édenté. C'est délicieux !

Je ne suis pas une grande adepte de la cuisine expérimentale de mes demi-frangins, mais la faim me taraude depuis des heures, une gracieuseté de Jade, alias le requin voleur de lunch.

Dilemme. Quelle option est la moins douloureuse: mourir d'inanition ou d'intoxication alimentaire?

Tant pis pour mes papilles! Je me lance.

Marisol me dévisage comme si je dévorais des asticots vivants. La texture archi-molle et imbibée des craquelins me confirme que les poissons pataugent depuis beaucoup trop longtemps, mais sinon, le mariage pomme-fromage-yogourt n'est pas aussi infect qu'on pourrait le penser.

J'engloutis sans hésitation le contenu du bol. Pire, je racle le fond avec ma cuillère, puis je lèche le contenant comme si ma vie en dépendait. Heureux de me voir si conquise, les jumeaux reprennent leur vaisselle sale et quittent ma chambre pour retourner à leurs habituelles occupations destructrices.

— Il faut trouver des idées pour contrer Jade, réaffirme mon amie en flattant le menton de Diabolo. N'importe quoi.

— Je pourrais mettre du débouche-évier dans son shampoing pour la rendre chauve?

— Pas mal. Tu pourrais aussi la dénoncer à la directrice pour intimidation et vandalisme des propriétés scolaires.

— Plutôt cramer en enfer! Des plans pour que tout le monde me surnomme la Tortilla-Rapporteur.

— J'ai trouvé! irradie Marisol comme si une ampoule venait de s'allumer au-dessus de sa tête.

Si ton cerveau est trop engourdi pour une attaque frontale, tu peux toujours opter pour une attaque de flanc.

— C'est-à-dire ?

— Il faut prendre Jade par surprise. Négocier une entente avec un complice facilement corruptible. Quelqu'un qui aurait déjà eu un lien étroit avec elle… Adam, par exemple.

La Canine et Adam se sont fréquentés pendant trois jours et quelques heures. Je doute qu'on puisse considérer leur relation comme étant privilégiée, mais dans ma grande sagesse, je choisis de ne rien dire.

Ma caporale en chef se rue sur mon ordinateur, impatiente de lancer l'opération. Son élan est interrompu par trois petits coups joyeux. Je reconnais tout de suite la signature rythmique de Marion, le seul membre de ma famille qui respecte mon intimité en cognant avant d'entrer. Ce qui ne l'empêche pas de se coller l'oreille contre ma porte pendant dix minutes avant de se manifester, histoire de vérifier que je ne sombre pas dans la spirale infernale de la drogue, de la criminalité ou de la chanson western.

— Tu peux entrer !

Ma belle-mère salue mon amie et dépose une assiette pleine de raisins verts, de craquelins et de fromage cheddar.

— Tim et Lucas m'ont dit que tu avais mangé leur bouillie aux poissons mous. J'en ai conclu que tu avais vraiment faim.

— Merci.

Je me jette sur les victuailles comme si je n'avais rien avalé depuis le printemps. Marisol se contente d'une grappe de raisin qu'elle partage avec son protégé.

— Comment s'est passée votre première journée ?

Je n'ai aucune envie de lui parler de mon nouveau rôle de crevette dans la chaîne alimentaire de notre école. Marion pourrait insister pour organiser une rencontre au sommet avec la direction et les parents de Jade. Hors de question que je passe pour une fillette qui va pleurnicher dans les bras de sa belle-mère au moindre souci.

Autant faire court.

— Bien.

Je ne dois pas être très convaincante avec ma bouche pleine de craquelins, parce que Marion en rajoute une couche :

— Tu sembles affamée. As-tu mangé tout ton lunch ce midi ?

Elle a caché une caméra de surveillance dans la cafétéria ou son instinct maternel est aussi efficace qu'un détecteur de mensonges ?

— Oui, oui.

Vous remarquerez que les gens qui mentent ont souvent tendance à répéter leur réponse pour se montrer plus crédibles. Malheureusement, en tant que professionnelle du monde de la pub, Marion est passée maître dans l'art de la tromperie. Elle refuse de lâcher le morceau :

— Comment as-tu trouvé mes barres tendres ? C'était une nouvelle recette.

— Succulentes.

Ses sourcils grimpent en même temps que sa méfiance. Un grand boum retentit au rez-de-chaussée. À contrecœur, ma belle-maman cesse son interrogatoire pour mener une autre enquête plus urgente : la dernière catastrophe de ses jumeaux sataniques. Je suis sauvée !

— Désolée, dis-je une fois seule avec mon amie. Marion ne me lâche pas d'une semelle depuis que mon père est en voyage d'affaires. Je crois qu'elle a peur que je me transforme en délinquante juvénile sous sa garde.

— Ce n'est rien ! Roseline est beaucoup plus bizarre. Elle me cache quelque chose. Son nouvel amoureux entre et sort du condo en coup de vent. Jamais vu. Jamais entendu. En temps normal, ma grand-mère ne se gêne pas pour m'imposer ses fréquentations. Il doit certainement être recherché par la police pour qu'elle se donne autant de mal...

Marisol allume mon ordinateur et se connecte sur son profil avec la ferme intention de marchander avec Adam.

— Il est en ligne. Tu me laisses carte blanche ?
— D'accord. Mais sois subtile.
— La subtilité, ça me connaît.

Marisol Langevin: Salut! Merci pour le pouding. Délicieux!

Adam Brodeur: D rien!

Marisol Langevin: Portais-tu un nouveau bracelet aujourd'hui? Il était vraiment beau.

Adam Brodeur: Merci!!!!

Marisol Langevin: Tes cheveux aussi avaient un petit quelque chose de différent. As-tu changé de gel?

Adam Brodeur: K, là T bizz… A tu qq chos A me demandé?

Marisol Langevin: Bien sûr que non! Je veux seulement prendre de tes nouvelles. En amie.

Adam Brodeur: …

Marisol Langevin: Bon, si tu insistes, j'aimerais aussi obtenir une toute petite information de ta part.

Subtile comme un hippopotame dans un champ de marguerites, oui.

Marisol Langevin: Il me faut un truc compromettant pour faire chanter Jade. As-tu quelque chose pour moi?

Adam Brodeur: E… ché pâ…

Marisol Langevin: Réfléchis! Tu connais forcément un de ses secrets, quelque chose qu'elle ne voudrait surtout pas dévoiler au grand jour.

Adam Brodeur: peu t'etre, mé non... je n'es pas envie 2 la mettre en col-r... je m'Xcuse...

Marisol Langevin: Je ne te pensais pas aussi lâche, Adam Brodeur.

Je peux presque entendre les rouages de son cerveau. Soit il devient notre complice et risque de me rejoindre au rang de crevette, soit il préserve sa réputation mais perd toute chance de reconquérir un jour celle qui fait battre son cœur, même en lui offrant une pleine piscine de pouding au riz brun et raisins secs.

Adam Brodeur: K... mé promet moua de ne jamé dire comment tu l'as U. Meme pâ sou tortur...

Flairant la victoire, la négociatrice gigote sur sa chaise. Je me sens aussi nerveuse que si je magasinais une bombe nucléaire sur le marché noir.

Marisol Langevin: Promis. Je vais emporter le secret dans ma tombe.

Adam Brodeur: Rendez-vou 2main, 10h15, dans le couloir interdit, local 309. Assure toua 2 ne pas être suivi...

Marisol se frotte les mains en signe de triomphe. Je partage son enthousiasme. Jade fait peut-être la loi, au sommet de la chaîne alimentaire, mais elle ignore que les choses sont sur le point de changer. Et la riposte viendra des fonds marins.

JOUR 3

LA LETTRE DE DESTRUCTION MASSIVE

Jeudi matin. Avachie sur ma chaise, je croise mes bras sur mon bureau afin de cacher subtilement la feuille qui se trouve devant moi. Au lieu de dessiner un plan cartésien, comme le demande notre professeur de mathématiques, je me concentre sur un plan marisolien, une stratégie militaire digne des plus grands généraux de guerre :

Pour éviter les bavures, le déroulement de notre rencontre clandestine est réglé comme une horloge suisse. Une fois les escaliers libres de tout regard indiscret, notre commando spécial doit monter au troisième étage, sécuriser les lieux et effectuer rapidement la transaction avant que la cloche ne sonne le retour en classe. La tactique est infaillible.

Le carillon retentit. C'est le moment fatidique. Je ferme mes livres avec une lenteur calculée. Depuis ma destitution au rang de crevette, je quitte toujours la salle en dernier. J'essaie autant que possible de ne pas me retrouver parmi les élèves, histoire de ne pas subir leurs blagues aussi moches et plates que ma poitrine. À la fin du cours de français, pour me donner une certaine contenance, je me suis sentie obligée d'aller discuter métaphores et conjugaison avec madame Boudreau.

Pathétique, je sais.

Mira, ma garde du corps de 130 centimètres, range ses crayons dans son étui. Elle exécutera sa première mission dans dix minutes. Marisol et moi travaillons habituellement en duo, mais quand nous avons échafaudé notre tactique de guerre, avant le premier cours du matin, Mira a insisté pour être de la partie.

La nouvelle recrue attache ses longs cheveux en chignon serré, afin que ses boucles ne gênent pas ses mouvements dans le feu de l'action, puis elle couvre d'un foulard noir sa tignasse rousse. Son camouflage est parfait et ses prédispositions militaires ne laissent aucun doute. Elle devait être un lutin-espion du père Noël dans une vie antérieure.

Nous échangeons un hochement de tête solennel, puis nous sortons de la classe, prêtes au combat. Comme convenu, Marisol vient nous cueillir à la porte :

— Le compte à rebours est lancé, annonce-t-elle en démarrant le chronomètre de sa montre. Une fois que tous les étudiants seront descendus aux casiers, on file en direction opposée, un étage plus haut. Allons au bout du couloir, attendre que le champ soit libre.

Notre caporale en chef avance en tête de peloton quand soudain, elle freine aussi brutalement qu'un camion-citerne devant un orignal. Je percute ma meilleure amie de plein fouet et provoque un carambolage humain avec Mira qui me suivait un pas derrière.

Les fesses au plancher, elle se redresse rapidement sur ses pattes. Elle n'a pas le temps de commenter son plongeon spectaculaire que Marisol exige le silence en collant son index sur sa bouche. Pour toute explication, elle nous indique la direction nord-ouest avec son menton.

Assis sur le rebord de la fenêtre, dans une position qu'il imagine sans doute romantico-décontractée, Jean-Simon est en grande conversation avec une blondasse aux montures noires.

Impossible que ce soit…

Il n'oserait quand même pas…

J'étouffe un cri indigné: mon ami de toujours bavarde avec mon ennemie jurée, alias Jade Cardin ! Je ne peux tout simplement pas le croire !

Marisol fonce vers le traître, mais Mira la retient de justesse par le pan de sa chemise :

— Pas tout de suite.

Sous la recommandation de caporale Mira, nous observons de loin les manigances de la Canine, sans ciller.

Jean-Simon nous tourne le dos, mais je reconnais son épaisse tignasse brune et son long corps efflanqué. Son pantalon un peu retroussé dévoile des bas dépareillés, un vert lime et un jaune serin. Il y a décidément quelque chose qui ne tourne pas rond chez lui.

Jade nous repère avec l'acuité d'un tireur d'élite. Satisfaite de son effet, elle renverse la tête avec un rire idiot, comme si son interlocuteur venait de lui sortir un gag potentiellement dangereux pour le fond de culotte. Pire, elle en rajoute une couche en effleurant le bras de Jean-Simon, puis elle coince tendrement une de ses mèches rebelles derrière son oreille. Elle lui murmure ce qui semble être un compliment, elle bat des cils comme une actrice de cinéma muet, puis elle conclut leur conversation par une accolade ridicule, en prenant soin de nous adresser un sourire par-dessus l'épaule de son nouvel ami. Un sourire si victorieux qu'il pourrait couvrir la distance du pôle Nord au pôle Sud.

En proie à une rage silencieuse, Marisol avance vers Jean-Simon. Quelques pas plus loin, Jade croise notre chemin et percute mon épaule comme un joueur de football. Un spectateur non averti pourrait y voir un accrochage inoffensif, mais connaissant la mesquinerie du personnage, je sais trop bien que la collision n'était pas le fruit du hasard :

— Fais attention ou tu finiras par te faire écraser !

Traduction libre : tasse-toi de mon chemin ou je transformerai ta vie en enfer.

— Laisse-la tranquille, ordonne ma meilleure amie. C'est ton deuxième avertissement. Au troisième, c'est la pendaison.

La Canine feint une expression de surprise offusquée :

— Un avertissement ? Pour quoi faire ? Je m'inquiète seulement pour Émilie. Un accident est si vite arrivé…

Mira pose les mains sur ses hanches comme un cowboy sur le point de tirer :

— C'est une menace ?

— Quoi ! ? Nooon !

Elle se penche vers moi et glisse à mon oreille :

— C'est une promesse.

La maître chanteuse se redresse avec un sourire qui glacerait le plus endurci des pingouins. Satisfaite, elle suit la foule vers les escaliers.

Marisol arrache la ballerine de son pied et la projette de toutes ses forces vers la Canine. Alors que la chaussure rebondit sur le cadre de porte, elle se retourne vers Jean-Simon pour lui déverser son restant de fiel :

— Tu as mis de l'acide dans ton gruau du matin ou quoi ?! Tu étais en train de fraterniser avec l'ennemie !

— Pourquoi faut-il toujours que tu sortes les grands mots ? Jade n'est pas votre ennemie.

— Tu as raison, dis-je avec sarcasme. C'est sans doute par gentillesse qu'elle me surnomme la Tortilla.

— Vous l'appelez bien la Canine.

— Seulement dans son dos !

— Ne sois pas aussi susceptible. C'est vrai que tes seins stagnent depuis la fin du primaire.

Coup bas. Mes deux acolytes poussent une exclamation scandalisée. Je me contente de resserrer ma veste pour cacher cette satanée poitrine qui est au centre de toutes les conversations.

— Je n'ai rien contre ton cynisme habituel, grogne Marisol. Ta mauvaise foi fait même partie de ton charme. Mais cette fois, tu as dépassé les bornes, Jean-Simon Boissonneault !

— De quel droit oses-tu me dire ce que je peux faire ou pas ? Tu passes bien tes journées à me casser les oreilles avec tes plans puérils et je ne t'en tiens pas rigueur.

— Pauvre petit poulet… En guise de compensation, laisse-moi te conseiller un truc à la hauteur de ta grande maturité : TIENS-TOI LOIN DE JADE !

— Serais-tu encore en train de me donner des ordres ? !

— Ça dépend. Serais-tu encore en train de défendre un bourreau ? ! ?

— Contrôlante !

— Traître !

Temps mort. Mes deux amis reprennent leur souffle en se dévisageant. Autour de nous, les autres étudiants ont suspendu leurs conversations pour observer le feuilleton dramatique qui se déroule sous leurs yeux.

Marisol croise les bras. Jean-Simon vrombit comme une vieille turbine mal huilée, signe chez lui que sa tension atteint des niveaux alarmants. La peau de Mira se couvre de plaques rouges. Aussi mal à l'aise que nerveuse, je me contente de grignoter mes cheveux en attendant la prochaine joute verbale.

Le Judas finit par dégainer.

— Jade voulait des informations sur les parties de basketball. Je ne vois pas pourquoi vous en faites tout un plat. Et puis, je n'ai pas de temps à perdre avec vos enfantillages. Grandissez, un peu !

— Toi, grandis !

Marisol conclut sa réplique choc en lui tirant la langue. Jean-Simon roule les yeux au plafond, puis dévale les marches vers le rez-de-chaussée.

Depuis notre lointaine rencontre, au temps des colliers en macaronis et des guirlandes de pop-corn, je n'avais encore jamais vu mon ami sortir de ses gonds. Cette grande première ne me réjouit pas le moins du monde.

— Ne t'en fais pas, me rassure Marisol en apercevant ma mine déconfite. C'est cette histoire de chaussettes qui lui monte à la tête. Depuis ce matin, trois personnes ont complimenté son look, incluant un inconnu qui portait lui aussi des bas dépareillés. Il sera un bien meilleur ami quand la tendance sera passée.

Elle a sans doute raison. Je me ressaisis. Il ne faudrait surtout pas que ma concentration soit compromise durant notre mission.

Nous attendons encore quelques secondes que le couloir se vide. Pour brouiller les pistes, nous faisons mine de discuter équations exponentielles et guerre de Cent Ans, accotées à la fenêtre. Une fois tous les étudiants descendus au rez-de-chaussée, notre escouade tactique se dirige vers les escaliers et grimpe les marches quatre à quatre, aussi discrètement que possible.

Au troisième étage, une porte beige se dresse devant nous.

— Je fais le guet ici, annonce Mira. Si quelqu'un arrive, je chanterai très fort. Ce sera notre signal pour avertir d'un danger.

Marisol et moi lui souhaitons bonne chance. Nous ouvrons la porte, puis nous tournons à gauche dans un long couloir interdit aux élèves sous peine de sanctions sévères. Je ne saurais vous dire lesquelles avec exactitude. Personne n'a jamais eu l'idée de contrevenir au règlement.

Selon les rumeurs, des nains maléfiques se cachent dans les plafonds et des esprits frappeurs habitent la tuyauterie. Ce qui expliquerait les bangs métalliques qui me font sursauter toutes les trois secondes.

Il se peut aussi que ces légendes soient une invention de quelques doyens en manque de divertissement, mais quand il est question de créatures malfaisantes, qui voudrait prendre un risque, je vous le demande.

Je longe les murs comme une espionne russe sur le point d'échanger un microfilm compromettant avec le camp ennemi. La précaution est inutile, vu la noirceur des lieux. Seuls les panneaux indiquant les sorties de secours jettent une faible lueur rouge sur nos pas. Mais peu importe. Dans ma tête, je suis une agente double en mission, une James Bond en jupette, une Mata Hari des temps modernes.

Marisol partage visiblement mon délire cinématographique. Elle éclaire le couloir avec son cellulaire en mode lampe-torche et tient son appareil à bout de bras, comme une arme de poing. L'agente 00Cell aveuglera le premier malotru qui croisera son chemin !

Comme convenu, Adam nous attend devant le local 309, les mains crispées sur une enveloppe brune. Son habituel look noir-sur-noir lui procure un camouflage parfait, mais ses mouvements saccadés trahissent son manque d'expérience sur le terrain.

Ma complice me fait signe de la tête. C'est le signal.

Je me poste au fond du couloir pour guetter les passants indésirables. Personne ne doit surprendre notre échange clandestin. Les sens aux aguets, je traque le moindre craquement, le moindre mouvement, alors que Marisol et Adam entament les négociations.

— Tu es certaine que vous n'avez pas été repérées ?

— Affirmatif. Personne ne viendrait ici de sa propre initiative. On aurait pu se retrouver en bas.

Il y a une foule de recoins qui ne sont pas envahis par les surveillants… ou des revenants vengeurs.

— Ce ne sont pas les surveillants dont il faut se méfier. Jade a des espions partout. Si on me voit en compagnie de Torti… euh… Émilie, je ne suis pas mieux que mort.

Adam tend son mystérieux paquet vers Marisol. Les mains tremblantes, il tourne la tête dans toutes les directions, ce qui décrédibilise complètement son accoutrement de voyou sans foi ni loi. Un craquement sinistre le fait sursauter.

— Respire ! Ce n'est quand même pas une arme nucléaire.

— Non, c'est une lettre qui est BEAUCOUP plus dangereuse, corrige le faux rebelle. Ne dévoile jamais que je te l'ai remise. Si on te pose des questions, dis que tu l'as trouvée dans un bac de recyclage.

— Je te le promets. Si jamais je peux faire quelque chose pour toi…

— Ce n'est pas nécessaire. Je te le devais bien.

Je crois discerner dans sa voix une once de remords. Qui aurait cru qu'un pauvre cornichon était capable de sentiments complexes !

Ne souhaitant visiblement pas aborder son aventure illégitime avec la Canine alors qu'il fréquentait toujours mon amie, Adam déguerpit vers les escaliers.

Marisol et moi attendons encore quelques secondes pour rejoindre Mira et descendre aux casiers. Quatre étudiants qui réapparaissent en même temps, ce serait beaucoup trop louche.

— *You can stand under my umbrella !*

Instant de panique. Mira chante de son poste de surveillance.

— *Ella ! Ella ! Ay-ay-ay !*

Je pourrais écouter sa sublime interprétation pendant des heures, si ce n'était pas un avertissement de menace imminente. Son timbre de voix et ses intonations sont un calque parfait de la version originale. On jurerait que Brianna donne un concert improvisé dans les escaliers du Collège Saint-Antoine. Cette fille est un caméléon vocal !

La porte s'ouvre dans un grincement sinistre. Notre complice cesse de s'époumoner, consciente que les jeux sont faits. Une silhouette voutée se matérialise devant nous, tel un spectre effroyable qui veut nous expulser de son territoire. L'ombre est entièrement grise, teint inclus, et ses cheveux broussailleux flottent dans les airs.

Marisol étouffe un cri dans la paume de sa main. Cette apparition de l'au-delà me fait l'effet d'un coup de poing dans le ventre. J'en reste clouée sur place.

Il me faut quelques secondes avant d'identifier monsieur Lamontagne, professeur d'histoire de son métier et fossile en décrépitude de son état.

— Qu'est-ce que vous manigancez ici ?

— Euh... rien, balbutie mon amie. Nous avons perdu notre chemin.

— Vous fréquentez le collège depuis deux ans, grommelle le vieux fantôme. Vous devez certainement connaître la géographie des lieux. Et puis qu'est-ce que tu as dans les mains ? De la drogue ?!

— Dans une enveloppe ?! dis-je avec incrédulité.

Son regard mauvais me fait tout de suite regretter mes paroles.

Au fond, je ne connais rien en livraison de substances illicites. Elles sont peut-être livrées dans une enveloppe, une boîte en carton ou un plat Tupperware, pour ce que j'en sais.

— C'est du papier, invente Marisol. Des feuilles mobiles.

— Eh bien, j'espère que vous en avez fait des provisions abondantes, annonce-t-il avec sarcasme, parce que je vous accompagne tout de suite au bureau de la directrice, et que la copie risque d'être longue.

Glurp.

LA DOUCHE AU JUS DE POISSON

Je vous épargne le discours interminable de la directrice. Personne ne mérite de se faire rebattre les oreilles avec les 239 clauses du code de vie étudiant. Je vous dirais seulement que nos dossiers vierges de tout antécédent, et notre promesse solennelle de nous tenir tranquilles, ont convaincu madame Blanchet de nous imposer la peine minimale, soit un simple avertissement.

Le point culminant de notre avant-midi a été de découvrir, une fois sorties du bureau de la directrice avec Mira, le contenu de notre mystérieuse enveloppe :

Adam,

Mon petit loup,

Depuis notre rupture, il y a dix-sept heures, trente-quatre minutes et vingt secondes, je ne souris plus, je ne mange plus, je ne dors plus. Je n'ai même plus la force de sortir de mon pyjama, et tu sais à quel point la flanelle désavantage ma silhouette.

Tout me fait penser à notre histoire. Une ballade sentimentale à la radio. Une vieille comédie romantique en rediffusion. Le chien à batterie que tu m'avais offert le soir de notre premier rendez-vous. Je ne pouvais plus supporter ses jappements incessants. Je lui ai enfoncé une chaussette dans la gueule pour le condamner au silence.

Donne-moi une seconde chance, je t'en supplie ! Nous sommes faits l'un pour l'autre. Sans toi, je suis aussi navrante que ces filles qui dînent à la bibliothèque de l'école. Sans toi, je ne suis rien.

Jamais je ne pourrai aimer quelqu'un d'autre. Tu es le seul qui compte pour moi. Tu es l'amour de ma vie.

Ta petite quiche, maintenant et pour toujours,

Jade xox

Adam avait raison. Cette missive est une bombe atomique.

Pour bien comprendre le potentiel de cette arme aux motifs fleuris, il faut se rappeler que Jade incarne la force à l'état brut. Jamais personne ne l'a surprise en train de pleurer. Elle est une diva au cœur de pierre, pas une mauviette larmoyante qui, dans une lettre qui empeste le parfum bas de gamme, supplie un ancien amoureux de la reprendre.

Mon ennemie préférerait probablement danser le tango avec un ours polaire plutôt que de ternir sa réputation d'iceberg insensible. C'est un peu comme si je venais de surprendre un grand requin blanc en train de grignoter une salade aux algues.

Je rumine sur cette métaphore animale durant notre heure de lunch. Jean-Simon a une rencontre au sommet avec ses coéquipiers de basketball et les filles attendent aux caisses de la cafétéria. Je suis donc seule au monde, assise à notre table habituelle, coincée entre la poubelle malodorante et le mur couvert de denrées jadis comestibles. En plus de ses habituelles substances poisseuses non identifiées, notre quartier général se voit maintenant embelli d'un charmant graffiti à mon intention :

Attention traversée de tortilla !

Pour ajouter aux festivités, la cafétéria offre une tortilla au bœuf épicé en plat du jour. Même le cuisinier de notre école alimente la campagne anti-Émilie en donnant de nouvelles munitions au clan ennemi !

Je garde les yeux rivés sur la lettre de Jade, mais je sens quand même les regards moqueurs braqués sur moi. Il faut dire que mes voisins de table ne sont pas particulièrement discrets, surtout ce pauvre abruti qui me jette des miettes de tortilla en pouffant de rire.

Ha, ha. Ils mangent des tortillas. Ha, ha. Je suis moi-même aussi plate que cette satanée crêpe de malheur. Pourquoi ne pas proposer au responsable de la cafétéria d'utiliser directement ma photo pour illustrer son menu ? Mieux encore, appelons tout de suite le Petit Robert pour qu'il ajoute mon prénom comme synonyme de la galette mexicaine. Plus on est de fous, plus on rit !

Je suis sur le point de me boucher les oreilles avec des branches de céleri et de chanter très fort, les yeux fermés, pour ignorer le cauchemar ambiant, mais j'imagine que cette astuce n'améliorerait en rien ma réputation.

Je me contente donc d'ouvrir ma boîte à lunch en priant pour que mes amies arrivent au plus vite, et idéalement, sans tortilla au bœuf épicé.

Un billet jaune couvre mon thermos. Je le décolle doucement afin de lire la citation quotidienne de Marion :

La plus grande gloire n'est pas de ne jamais tomber, mais de se relever à chaque chute. Confucius, grand sage chinois

Difficile de ne pas y voir une certaine ironie, alors que je suis moi-même face contre terre. Je médite sur ce hasard douloureux quand je vois Jade qui entre dans la cafétéria. Elle fonce sur moi comme un requin affamé vers un poisson amputé de la nageoire. Je glisse subtilement le papier jaune dans ma poche. Pas question de lui fournir un autre sujet de moquerie. La Canine est déjà bien assez créative.

— Voyons voir ce que tu as pour moi aujourd'hui...

Elle secoue brutalement mon sac pour le vider de son contenu. Je ne sais pas si c'est l'accumulation de rage, la faim ou la citation de ma belle-mère, mais je me sens gonflée d'un courage nouveau. Je lui agrippe fermement le poignet pour bloquer son geste :

— Mes amis devraient arriver dans quelques secondes. Marisol a eu une autre copie pendant le cours d'histoire et elle est de très mauvaise humeur. Je te conseille de déguerpir au plus vite ou je ne garantis rien de ta survie, dis-je avec toute l'autorité dont je suis capable.

Pas mal ! J'ai pris du galon côté impertinence !

— Bas les pattes, la Tortilla. Je n'ai pas envie que mon dîner goûte le vieux maïs.

Sonnée par sa remarque, je desserre un peu mon emprise.

— Vieux maïs toi-même...

Bon. Il y a encore des progrès à faire.

La Canine tire son bras d'un coup sec pour retrouver sa liberté, puis elle se sert comme dans un buffet chinois. Cette fois, la voleuse ne se contente pas de la barre tendre spécial ciment de Marion. Ce serait trop gentil. Elle prend aussi mon morceau de fromage, mon yogourt ainsi que les dernières miettes de mon honneur.

Elle ouvre mon thermos et esquisse aussitôt une moue dégoutée.

— Qu'est-ce que c'est ? Une soupe au poisson pourri ?! La prochaine fois, amène un lunch plus décent.

Pour que le message soit bien clair, elle renverse le contenu du thermos sur la table. Les feuilles de bok choy, les vermicelles et les crevettes géantes pataugent dans un bouillon brunâtre qui dégage une forte odeur de fond marin. Un filet de liquide chaud coule sur mes cuisses et me fait bondir de ma chaise. Je suis imbibée de jus de crustacés puant. Maudit soit la cuisine asiatique !

— Je t'avais dit de te méfier des accidents…

Je sors un vieux mouchoir de ma poche pour absorber le dégât. J'espère naïvement qu'un généreux voisin de table me tendra une ou deux serviettes… Rien. Pas même un regard compatissant. Personne ne réagit.

Correction. Il y a bien deux ou trois étudiants qui se manifestent. Quelques tables plus loin, Cochon-Rieur rigole tellement qu'il s'est étranglé avec son jus de pomme. Alors qu'il tente de survivre à sa quinte de toux, les dindes alliées de la Canine se juchent sur leur chaise pour ne rien rater du spectacle.

Les autres élèves adoptent une attitude beaucoup moins extravagante. Ils observent la scène avec curiosité, sourient et chuchotent entre eux. Certains font mine de se passionner pour leur sandwich, afin de ne pas attirer l'attention de la bête sauvage. Pourquoi interviendraient-ils ? Pendant que le requin se défoule sur moi, ils peuvent digérer leur lunch mexicain en paix.

En me voyant prise entre les griffes manucurées de la Canine, mes deux amies accourent à la rescousse. Alors que Mira éponge le déluge avec une pile de serviettes, Marisol passe tout de suite en mode attaque.

— Dégage ou j'utilise tes cheveux comme vadrouille.

Ma tortionnaire sursaute et s'essuie le front du revers de la main.

— Dégueulasse ! Tu postillonnes comme un gicleur automatique. Adam s'en est plaint souvent, quand on se fréquentait en cachette… Bon, on ne se cachait sans doute pas très bien, parce que tout le monde était au courant. Sauf toi.

Piquée au vif, Marisol courbe le dos et émet un grognement rauque. Je crains qu'elle ne saute au visage de cette insupportable peste, mais elle choisit plutôt la riposte du tac au tac.

— Tu as raison. Avec tes gros sabots et ton quotient de mouche morte, tu serais incapable de cacher une aiguille dans une botte de foin.

Mira abandonne sa corvée de nettoyage pour applaudir la réplique.

— D'ailleurs, c'était quoi, cette petite séance de pseudo-flirtage avec Jean-Simon ? poursuit Marisol, visiblement requinquée. Tu as besoin de renfort intellectuel, alors tu essaies de voler notre ami ?

— Pas besoin de voler qui que ce soit. JS est assez brillant pour réaliser qu'il mérite mieux que trois rejets qui sentent la morue.

Jade feint de chasser les odeurs en secouant la main, elle pousse un rire narquois, puis elle rejoint ses amis qui acclament sa prestation en tapant des mains.

— *Tyhmä !* crie Mira avec les mains en porte-voix.

Jean-Simon choisit ce moment pour entrer dans la cafétéria. Ignorant le drame qui vient de se dérouler, il avance en souriant, perdu dans ses shorts surdimensionnés et ses rêveries de basketteur. Pour accessoiriser sa camisole rouge et or, les couleurs officielles du collège, il a pris soin de personnaliser son style avec un bas de chaque couleur.

Sa nouvelle coquetterie aurait pu m'exaspérer, mais pour tout dire, je suis simplement heureuse de voir apparaître un allié. Et pas n'importe lequel. Jean-Simon. Un de mes meilleurs amis. Celui avec qui je partage mon pouding au chocolat depuis la maternelle. Celui qui connaît tous mes points faibles et mes erreurs, mais qui, par un heureux miracle, ne me renie pas pour autant.

Jade l'extirpe de ses pensées en lui adressant un signe enthousiaste de la main.

— Tu as eu une bonne pratique ?

— Pas si mal.

— Ne sois pas modeste ! Je suis certaine que tu as été l'étoile du match. Tu me racontes tes exploits en mangeant avec nous ?

La Canine tire la chaise pour se montrer encore plus accueillante. Jean-Simon recule d'un pas, hésitant. Son regard oscille entre la table des prédateurs et celle des crustacés sans espoir. Je peux pratiquement entendre les pour et les contre défiler dans sa tête.

Quelques secondes de réflexion plus tard, mon complice de toujours nous fait un petit signe de tête pour nous signaler son intention de manger exceptionnellement avec Jade et le reste de la brigade de la crétinerie.

Le couperet vient de tomber. Mira échappe un soupir déchirant. La main de Marisol se crispe sur sa fourchette. Je sombre dans un abîme de malheur et de désespoir.

Mon ex-compagnon s'assoit, déterminé et extatique comme un dauphin devant un baril de sardines. Victorieuse, ma rivale enroule son bras autour de sa prise. Dans son dos, elle mime une arme avec ses doigts, puis elle fait feu dans ma direction.

Son tir m'atteint en plein cœur.

MISÈRE ET BOULE DE GOMME

Je croupis dans le cours de sciences physiques, le dernier de la journée. Notre professeur explique comment mesurer le volume d'une efface dans un cylindre gradué rempli d'eau.

Pal-pi-tant.

Mira, ma partenaire de laboratoire, étale nos instruments avec un enthousiasme inexplicable. Je tente de m'inspirer de son ardeur au travail, mais ma motivation est partie en Finlande, où Thomas et moi sillonnons les terres enneigées sur le dos de notre renne domestique.

Mon ventre gargouille. Par orgueil, je fais celle qui ne remarque rien. Ma tuyauterie insiste en poussant un autre grognement de protestation. Le jeûne involontaire ne me convient vraiment pas. Je toussote pour faire diversion.

Une étrange sensation dans mes cheveux me distrait de mon concerto intestinal. Je passe la main dans ma tignasse et découvre avec horreur une grosse boulette de papier humide.

Je me retourne en sachant trop bien qui je vais voir. Assise derrière nous, Jade revendique l'affront en me saluant de la main. Elle récidive sur-le-champ en me tirant un autre projectile en plein front, sous les exclamations stridentes de Dinde-Première et Dinde-Seconde qui glougloutent de bonheur.

— Arrête, Jade !

L'ordre ne vient pas de moi, mais de Mira, ma garde du corps haute comme trois cylindres gradués. Elle conclut son avertissement par un regard terrifiant. Enfin, aussi terrifiant que possible pour une fille qui compte probablement un ou deux lutins dans son arbre généalogique.

— Pardon ? Qui parle ? ricane la Canine en tournant la tête comme si elle cherchait une créature microscopique.

J'ai envie de lui clouer le bec, de la remettre à sa place, dans la basse-cour avec ses deux amies gallinacées. Mais comme toujours, je choisis de me taire. Je suis une lavette sans colonne.

Mon intimidatrice agite son museau comme un lévrier flairant un cadavre en décomposition avancée.

— Mais qu'est-ce qui sent aussi mauvais ?! Est-ce que tu traînes des sardines pourries dans tes poches, la Tortilla ?

— Laisse-les faire, dis-je à Mira en chuchotant. Elles ne méritent pas notre attention.

Je jette un dernier coup d'oeil vers mes bourreaux en priant pour qu'elles se choisissent un nouveau souffre-douleur.

La Canine gigote sur sa chaise en mastiquant une gomme, activité prohibée par le code de vie et passible de la peine capitale, soit trois semaines de retenue dans le bureau glauque de monsieur Lamontagne. Elle mijote visiblement un autre sale tour susceptible de lui procurer un plaisir sadique.

Confirmant mes craintes, elle prend une spatule, elle dépose sa chique gluante, puis elle la catapulte dans notre direction.

La substance visqueuse atterrit directement dans les longues boucles de Mira. Je bondis de ma chaise et échappe un cri de surprise. En fond sonore, le trio McDinde se tord de rire. Il me vient une irrépressible envie de céder à mes instincts les plus noirs et de carboniser leurs faux cils. Je scrute le laboratoire à la recherche d'un lance-flammes, quand notre professeur déboule vers notre station, sans doute alerté par mon hurlement strident.

— Qu'est-ce qui se passe ici ?

Au lieu de fournir une explication logique, comme le dictent les circonstances, je dévisage mon interlocuteur, muette et le teint livide. Je vais devoir mêler les instances scolaires à mes soucis. C'est un cauchemar ! Jade est déjà insupportable avec moi. Je peux tout juste imaginer le genre de torture qu'elle me réservera si je la dénonce aux autorités.

— C'est ma faute, intervient Mira avant que le professeur ne m'envoie à l'infirmerie pour mort cérébrale. J'ai accroché le cylindre gradué et il est tombé par terre. J'ai eu peur de le casser.

Monsieur Laroche hausse un sourcil sceptique. Je peux presque deviner le fil de ses pensées. Une élève si calme et consciencieuse hurlerait-elle vraiment pour un incident si insignifiant ?

Sans preuve pour appuyer son instinct, l'enseignant accepte la version de Mira :

— Les expériences en laboratoire exigent la plus grande prudence. Surtout en présence de substances dangereuses.

Je ne vois pas en quoi une efface et un contenant de verre pourraient compromettre notre sécurité, mais par politesse, je ne dis rien.

Une fois ses précieuses mises en garde terminées, monsieur Laroche se précipite vers une autre équipe en détresse.

Je ne trouve pas les mots pour remercier Mira de son sauvetage *in extremis*. Au lieu de lui infliger un tissu de banalités, ma triste spécialité, je lui adresse un sourire reconnaissant, puis je tire délicatement sur la gomme afin de la déloger de sa chevelure.

Mission impossible. La chique est collée pour de bon.

Cette fois, pas de doute, Jade mérite le goudron et les plumes. Mais comme je suis une pauvre crevette dans une école secondaire, et non pas un redoutable cowboy dans un western, je me contente de lui jeter mentalement un mauvais sort afin qu'elle se réveille le visage couvert de pustules vertes.

Deux ans plus tard, mon calvaire se termine enfin. Alors que nos condisciples scientifiques évacuent le laboratoire, Mira ouvre son étui et me tend une paire de ciseaux :

— Il ne faut pas attendre. Sinon, ce sera pire.

Je n'ai jamais coupé de cheveux de ma vie. Excepté ceux de ma poupée, une fois, et le résultat n'a pas été concluant. Mais je n'ai pas le droit de lui refuser cette faveur. Après tout, je comprends parfaitement que Mira n'ait aucune envie de se balader avec une vieille chique imbibée de la salive de Jade Cardin.

Je coupe méthodiquement les mèches collées et déloge la gomme comme un chirurgien extirpe une tumeur maligne. Quelques coups de ciseaux plus tard, Mira semble avoir un trou au milieu de la tête. Ses cheveux courts et inégaux contrastent avec le reste de ses boucles. Dire que sa coiffure est ratée serait un euphémisme.

Elle file aux toilettes pour découvrir son nouveau look de guerre, et je retrouve Marisol en bas des escaliers, soulagée de pouvoir retourner chez moi dans les plus brefs délais.

— Il est temps que la journée finisse. La Canine vient de lancer une gomme sur la tête de Mira. Il a fallu que je sabote sa coupe de cheveux pour l'enlever.

— Cette fille se croit vraiment tout permis ! Il faut agir rapidement et utiliser la lettre comme arme de…

— Complotez-vous un attentat contre la reine ou la destruction de la galaxie ? interrompt joyeusement Jean-Simon.

Marisol le dévisage comme s'il souffrait d'amnésie chronique.

— Tiens… Un revenant. Tu as eu un bon lunch ?

— Mon sandwich était un peu sec, commente-t-il sans capter le sous-entendu. Et vous ?

— Un peu tendu, enchaîne ma meilleure amie. Mais rassure-toi, je me sens beaucoup mieux depuis que je sais qu'on existe encore à tes yeux, même si tu manges avec les « populaires » de l'école.

Jean-Simon allume enfin son détecteur de sarcasmes.

— Alors j'ai besoin d'une autorisation spéciale pour dîner avec quelqu'un d'autre ?

— Bien sûr que non. On est dans un pays libre. Mais si je ne te connaissais pas, Jean-Simon Boissonneault, je te suspecterais de ne pas vouloir être aperçu en notre compagnie. Heureusement pour toi, je vais t'accorder le bénéfice du doute et supposer que tu ne nous as simplement pas vues, assises à la table où nous sommes tous les jours depuis deux ans.

— Ce n'était pas… Je voulais juste… Oh, tu m'énerves ! s'exclame-t-il en faisant mine de s'arracher les cheveux, exaspéré.

Je distingue alors un accessoire inédit à son poignet. En plus de ses bas dépareillés, sa marque de commerce, Jean-Simon arbore un large bracelet de cuir, le genre de parure extravagante qui lui donnait envie de vomir il y a tout juste quelques jours.

— C'est quoi, ce truc ?! lui fais-je remarquer avec une moue dégoûtée.

— Euh… Un cadeau. De Jade. Elle vient de me l'offrir. Je me suis dit que je pourrais le porter au party de vendredi.

Jean-Simon se mord la lèvre. Il sait pertinemment qu'il a trop parlé. Comme de fait, Détective Marisol démarre aussitôt son interrogatoire :

— Quel party ?

— Rien de spécial. Juste une petite soirée chez Sam. Pour célébrer la nouvelle année. Avec tous les élèves de secondaire trois.

— Quoi ? Mais pourquoi tu ne nous as rien dit ?! On pourrait y aller ensemble.

— Je ne suis pas certain que ce soit une bonne idée...

Ma meilleure amie se colle pratiquement le nez sur celui du cachotier et tente de lui arracher une confession troublante.

— Avoue-le une fois pour toutes. Tu as honte de nous.

— Évidemment. Tout ce que vous touchez se transforme en fiasco.

— Je te le répète pour la centième fois : nos plans d'attaque se terminent rarement par des effractions ou des visites chez la directrice. Rarement.

Le terrain est miné. Conscient que le moindre faux pas pourrait provoquer sa perte, Jean-Simon écoute son instinct de survie et décide de ne rien ajouter. Nous marchons vers les casiers dans une ambiance tendue.

Deux recrues de secondaire un saluent leur idole en exhibant des chaussettes-hommage. Les bas dépareillés sont en train de devenir une vraie épidémie, ma parole !

— Je ne voudrais surtout pas briser tes illusions, lance soudain Marisol, mais la Canine ne fait jamais de cadeau gratuit. Elle n'est pas ton amie. Elle se sert de toi pour faire enrager Émilie.

— Pourquoi est-ce si difficile pour toi de concevoir que Jade puisse véritablement apprécier mes qualités, comme mon humour ou mon sens de la mode ?

— Et puis quoi encore !?!

Je retiens mon souffle. La conversation a atteint un point de non-retour. Mes deux amis se dévisagent en silence. La tension est à son comble. Il est temps que j'utilise mes grands talents de médiatrice pour désamorcer la crise.

— Calmez-vous ! Si vous laissez la Canine se dresser entre nous, elle aura...

— Si c'est ce que tu penses, interrompt Jean-Simon sans égard pour mes conseils, alors peut-être qu'on ne devrait plus être amis !

Atteint dans son orgueil le plus profond, il se sauve vers les casiers des gars dans un geste théâtral. Son épaule percute le cadre de porte, ce qui atténue grandement l'effet dramatique de sa sortie.

Jade a vraiment un don prodigieux pour semer la zizanie. La gorge nouée par le chagrin, je me dirige vers mon casier avec la sensation terrifiante que mon univers bascule peu à peu dans le chaos.

— Il reviendra. Non ?

Le silence de Marisol me blesse plus que toutes les insultes réunies de la Canine.

— Il a choisi son camp et sa décision prouve que c'est un idiot. Nous n'avons pas besoin de lui. Il ne mérite tout simplement pas notre amitié. Qu'est-ce que tu fais vendredi ? ajoute-t-elle sur un ton faussement enjoué.

— Je n'ai rien de prévu. Ni pour vendredi ni pour le reste de ma vie.

— Alors, on va au party. Penses-y! C'est le moment parfait pour faire chanter Jade. Soit elle promet de te laisser tranquille, soit on lit sa lettre d'amoureuse éplorée devant tout le monde.

— Je ne sais pas… Personne ne nous a invitées. Et puis, je ne suis pas certaine de vouloir utiliser la lettre comme arme de chantage. C'est mesquin de vouloir profiter du désespoir des autres. Exactement le genre de chose que ferait Jade.

— Émilie, tu dois te défendre!

— J'attends le bon moment.

— Alors tu risques de lui donner rendez-vous à l'hospice…

Je déverrouille mon cadenas en soupirant, puis je fais le tri des livres essentiels pour la soirée.

Il y a quelque chose d'anormal… Mon sac est tombé de son crochet. Mon cartable bleu est éventré sur le dessus de la pile. Mes manuels ne sont plus classés par ordre alphabétique de titre.

Oh.

Mon.

Dieu.

Mon casier a été vandalisé!

Un inventaire rapide de mes affaires me confirme que mon lecteur de musique, deux livres et mon foulard ont été volés.

Je ne voudrais surtout pas accuser sans preuve, mais je suis certaine de connaître la responsable. Primo, notre école n'est pas vraiment un repaire de malfrats. La liste des coupables potentiels n'est donc pas bien longue. Secundo, la mention « Crève, la Tortilla », tracée au rouge à lèvres fuchsia sur mon miroir aimanté, laisse peu de place au doute.

Mais comment diable Jade a-t-elle fait pour connaître le code de mon cadenas ? !

Les méfaits de ma tortionnaire se bousculent dans ma tête. Elle a manipulé le cerveau de Jean-Simon pour briser une de mes amitiés les plus précieuses. Elle a saccagé la magnifique chevelure de Mira pour la punir de prendre ma défense. Elle a non seulement volé mon lunch, mais elle a aussi fouillé dans mon casier afin de piller mes trésors personnels.

Trop, c'est trop. Ma patience a des limites. Invitées ou non, Marisol et moi irons au party.

Je suis prête pour la bagarre.

JOUR 4

STRASS ET MARASME

Vendredi après-midi pour la famille Robinson. Mon paternel est toujours en Californie et bavarde de récession mondiale dans un colloque palpitant. Les jumeaux apprennent à perfectionner leurs bruits de pets à la maternelle. Kelly-Ann écume les boutiques du centre commercial. Marion combat des microbes en direct de sa chambre.

Un calme inhabituel règne dans notre maison, ce qui signifie que je peux satisfaire ma rage de nourriture loin des regards curieux. Affamée, je vide le frigo sans me soucier du mariage des saveurs, de mon apport en oméga-3 ni du risque élevé que je meure empoisonnée par un aliment périmé.

Inutile de préciser que Jade veille toujours au maintien de mon poids santé en volant mon lunch du midi. Cette fois, j'avais pris soin de cacher un sac de noix dans ma poche, afin de ne pas importuner mes voisins de classe avec mes gargouillements incessants. Marisol a aussi eu la gentillesse de partager son repas avec moi, soit un demi-sandwich BLT sans tomate ni laitue. Malgré toutes ces précautions, je suis incapable de tenir jusqu'au souper.

Pour tout dire, il n'est pas impossible que je mange un peu mes émotions. En plus de ma haine pour la Canine, Jean-Simon me manque terriblement. Mira a bien réussi à me faire rire en imitant parfaitement ses tics et ses manies, mais mon moral est vite retombé quand le Traître nous a ignorées dans l'autobus.

Trêve de mélancolie. Il est 16 h. Je dois rejoindre Marisol dans trente minutes afin de peaufiner les derniers détails de notre intrusion chez Sam. J'abandonne mes os de poulet et ma vaisselle sale dans l'évier, puis je fonce dans ma chambre pour choisir une tenue de circonstance.

Un vieux kangourou en coton ouaté molletonné. Un pantalon trop petit qui me boudine la taille. Un costume de bergère constellé de taches de salsa. Le contenu de ma penderie est affligeant. On se demandera ensuite pourquoi Thomas Saint-Louis n'a toujours pas succombé à mes charmes…

L'idéal serait de foncer au centre commercial et de me procurer une garde-robe digne de Selina Comez, mais avec mes économies de mineure sans emploi, je ne pourrais même pas acheter une demi-culotte.

Pas le choix. Il faut que je dérobe quelques vêtements et accessoires dans la chambre de Kelly-Ann en espérant qu'elle ne remarque rien.

Braquer un dépanneur serait probablement moins dangereux, mais c'est mon seul espoir. Qui ne risque rien n'a rien !

Armée de mon sac à dos, je me glisse subtilement dans le refuge de ma demi-sœur. Ses tiroirs bien garnis feraient rougir de honte les boutiques les plus branchées. Je chipe des jeans serrés, des petites robes glamour, des tops pailletés que je n'oserais même pas mettre pour un bal costumé. Exactement le genre de trucs que portent les filles populaires de notre école et qui me permettront de me fondre dans la masse.

En haut de sa penderie, j'aperçois deux perruques, une blonde platine et une brunette avec de larges mèches roses et blanches. Je ne sais pas dans quel contexte Kelly-Ann a enfilé ces postiches ridicules. Ce qu'elle fait pendant ses temps libres ne me concerne pas. En revanche, je sais que ces accessoires excentriques feront un camouflage parfait.

Un craquement de plancher me fait sursauter. Je me transforme en statue de marbre, le visage tordu par un rictus de terreur. Pourvu que ce ne soit pas ma demi-sœur. Si elle entre dans sa chambre maintenant, elle me surprendra la main dans le sac. Littéralement.

— Tu essaies de te cacher dans la chambre de Kelly-Ann pour éviter de faire la vaisselle ?

Marion se tient dans le cadre de porte, les bras croisés, le nez gonflé comme une aubergine.

— Je vais tout nettoyer, promis. Je voulais seulement… euh… récupérer un de mes chandails.

Ma belle-mère ne bronche pas. Pourtant, tout le monde sait que sa fille préférerait se balader avec un sac poubelle sur le dos plutôt que se rabattre sur un de mes pulls navrants.

Son cerveau est manifestement affecté par la maladie. C'est le moment ou jamais de négocier une permission spéciale.

— Je peux sortir ce soir ? Je ne reviendrai pas tard. Marisol et moi allons seulement faire un petit tour chez Sam pour un party. Je vais souper chez elle avant.

— Tu ne viens pas juste de souper ?!

La surprise lui arrache une violente quinte de toux. Je m'assure qu'elle est hors de danger de mort avant de poursuivre.

— Non, c'était ma collation. Je dois avoir une poussée de croissance tardive.

— Tu peux y aller, mais ne rentre pas après 10 h 30.

Satisfaite de notre entente, je me dirige vers la porte en espérant pouvoir sortir sans plus de questions, mais Marion la ferme d'un coup de pied.

— Il faut qu'on parle. Tu me sembles soucieuse depuis quelques jours... Est-ce que tout va bien ?

Arg... Son cerveau est moins atteint que je ne le croyais.

— Oui. Super.

Ma belle-mère, alias la grande inquisitrice, ne rend pas les armes si facilement. Elle s'assoit sur le lit de Kelly-Ann dans une tentative peu subtile de favoriser les confidences.

— Tu sais, je comprends que tu veuilles te garder un jardin secret. C'est normal. Tu es une jeune femme maintenant.

Ce dernier constat me laisse sceptique. Elle me prenait pour quoi, avant ? Une violette africaine ?

— Mais je veux que tu saches que ma porte est toujours ouverte si tu ressens le besoin de parler. Peu importe le sujet. Tu sais que je ferais tout pour toi.

— Tu cambriolerais un dépanneur ?

— Non !

— Alors tu ne ferais pas VRAIMENT tout pour moi...

Elle se lève, visiblement dépitée que sa belle-fille se ferme comme une huître récalcitrante.

— Il n'y a rien que tu aurais envie de me dire ? Tu es certaine ?

Silence. Pendant une fraction de seconde, je remets ma tactique en question. Marion est une femme de tête, une battante invincible, une stratège redoutablement intelligente. Elle pourrait sans doute être de bons conseils dans mon combat contre la Canine.

Je me ressaisis sur-le-champ. À quoi bon la tourmenter avec mes histoires de régime forcé, alors que je suis sur le point de régler le problème ?

— Non. Je te jure que tout est sous contrôle.

Techniquement, ce n'est pas un mensonge. La situation est pénible, mais sous contrôle. Et dans quelques heures, je pourrai enfin tourner la page de ce triste chapitre de mon existence.

Je descends les escaliers, je fais un nettoyage rapide de la cuisine, puis je file vers le vestibule. Une fois mon manteau enfilé, je me sauve chez Marisol avec mon précieux mon butin.

Mon sac est si lourd que les bretelles me creusent les épaules, mais comme ma meilleure amie habite à quelques rues de chez moi, mon épreuve sportive ne durera pas trop longtemps.

Au bout de dix minutes, je cogne à la porte des Langevin. Les cheveux noués en une queue de cheval approximative, les doigts tachés d'encre rouge et noire, ma meilleure amie me fait entrer.

À part les coups de langue de son chien Hercule, qui lave énergiquement son derrière sur le divan du salon, la maison est plongée dans un silence absolu.

— C'est tranquille ici.

— Roseline est à son cours de trampoline acrobatique. J'étais en train de finaliser le plan de ce soir.

Je suis Marisol dans la décharge publique qui lui fait office de chambre et dépose mon sac sur son lit en bataille. Assise sur le plancher, au milieu de ses crayons et de ses vêtements sales, elle m'expose sans tarder les paramètres de notre frappe :

① OPTION CAMBRIOLAGE CLASSIQUE

Casser une fenêtre et entrer par effraction.

→ Risque élevé de passer une nuit en prison.

② OPTION ALCATRAZ INVERSÉ

Se faufiler par le le conduit d'aération.

→ Attention aux araignées et autres bestioles indésirables.

③ OPTION CHEVAL DE TROIE

Sonner à la porte, se cacher dans une grosse boîte et se faire passer pour un cadeau-surprise.

④ OPTION FAUSSE IDENTITÉ

Enfiler une tenue de camouflage et entrer en même temps que les autres invités.

— Je crois que le camouflage représente notre meilleure chance de victoire. Il suffit de se cacher sur le côté de la base ennemie et d'attendre le moment propice pour lancer l'assaut.

— On pourrait aussi se trouver des surnoms de guerre ! Je serai Colonelle Moustique, et toi, hum… Soldat Typhon !

— Pas question ! s'écrie Marisol.

Silence.

— Je serai la colonelle.

J'assomme mon amie despotique avec le premier coussin qui me tombe sous la main, puis je déverse le contenu de mon sac par-dessus les trois couches de débris qui jonchent le sol.

— Kelly-Ann est géniale de nous prêter ses affaires, s'étonne Marisol en admirant une tunique aztèque.

— Oui. Et elle ne se doute même pas à quel point !

Après quelques essais plus ou moins convaincants, comme une robe ballon qui la faisait passer pour une ado enceinte de triplés, ma complice jette finalement son dévolu sur un micro-short noir, des bas rayés rouges qui débordent de ses bottillons et de gigantesques anneaux dorés qui lui pendent aux oreilles. Elle dissimule ses cheveux châtains sous la perruque aux mèches trois couleurs, puis elle complète sa coiffure avec une casquette de cheminot assortie.

Verdict : elle pourrait facilement se faire recruter comme candidate dans une émission de téléréalité. Mission accomplie !

Mes propres sélections donnent un résultat beaucoup moins heureux. Mon chandail pailleté brille tellement qu'il pourrait servir de panneau solaire et alimenter toute une ville en énergie. Pire encore, mon pantalon zébré, mes pendentifs métalliques et mes espadrilles multicolores produisent un effet visuel si intense que je représente sans doute un danger pour les personnes épileptiques. Le miroir est formel : je suis un kaléidoscope humain.

— On dirait que tu veux infiltrer un troupeau de zèbres amateurs de hip-hop… Enfile le jeans cigarette pour voir.

— Ils ne m'iront jamais ! J'ai les fesses rondes comme des meules de fromage. Passe-moi plutôt la jupe noire avec des volants.

Pendant que Marisol sort nous concocter un petit souper à la bonne franquette, je troque mon pantalon aux motifs « savane en délire » pour la jupe plus classique. Mon amie revient quelques minutes plus tard avec une salade de poulet froid et des craquelins. Elle me scrute de haut en bas, étudiant ma tenue avec une rigueur presque scientifique.

— Alors ?

Sans dire un mot, elle enfonce une perruque blonde platine sur ma tête et ajoute des lunettes de soleil surdimensionnées.

— Prétentieux, snob, clinquant… C'est parfait !

Nous avalons quelques bouchées, puis Marisol prend sa trousse de produits cosmétiques. Une peur soudaine me submerge.

— Tu veux bien me maquiller ? Je serai plus crédible pour négocier avec Jade si je ne ressemble pas à un clown…

Consciente que je manie le pinceau comme un gorille atteint de parkinson, ma meilleure amie tamponne deux lignes d'anticernes sous mes yeux. Je me sens comme un chef sioux en temps de guerre. Elle applique ensuite du traceur noir sur mes paupières, superpose quatre couches de mascara sur mes cils et termine sa toile abstraite avec un voile de poudre bronzante sur ma peau naturellement spectrale.

— Tout le monde va penser que je dors dans une cabine de bronzage, dis-je en scrutant mon reflet dans la glace.

— Tu es un peu orange, c'est vrai. Le produit devrait s'estomper au fil des heures pour un fini plus naturel. C'est écrit sur…

Atchoum !

Marisol et moi échangeons un regard terrorisé. Le bruit ne venait pas de la chambre, mais du fond de l'appartement.

— Il y a quelqu'un dans la maison ! chuchote Mariol en mode panique. Et je n'ai que le vieux dentier de Roseline pour nous défendre !

Nous tournons la tête dans tous les sens, à la recherche d'une arme potentielle. Marisol attrape finalement deux vaporisateurs de fixatif, puis nous sortons de la chambre en longeant les murs.

Un grincement de porte discret retient notre attention. L'intrus se terre dans la chambre de Roseline ! Nous entrons sur la pointe des pieds et fouillons les lieux, la main crispée sur nos atomiseurs.

Sous le lit, derrière les rideaux, dans le panier à linge sale… Personne. Il ne reste que la garde-robe.

Marisol fait un décompte silencieux avec ses doigts. À trois, elle ouvre brusquement la porte.

— À l'attaque !!!

Je pousse un cri de sauvageonne pour intimider le visiteur indésirable, puis je dirige le jet directement sur son visage. Masquée par le nuage de pouche-pouche extra-volume, la cible se replie en hurlant de douleur.

— Arrêtez ! C'est moi ! Arrêtez !

Cette voix chevrotante de bicentenaire me rappelle quelqu'un. Nous acceptons le cessez-le-feu et réalisons avec effroi ce qui se trouve devant nos yeux : monsieur Lamontagne, professeur d'histoire et tortionnaire officiel de Marisol, en version interdite au moins de douze ans.

Je vous épargne la description traumatisante de ses jambes maigrichonnes et de son boxeur aux motifs de fleurs hawaïennes, mais disons seulement que notre enseignant a plus de chances d'intéresser le musée du patrimoine que de poser dans le calendrier des pompiers.

— Qu'est-ce qui se passe ici ? fulmine Marisol en inspectant la garde-robe comme si un autre complice se cachait dans la penderie.

— Je peux tout expliquer, gémit le fossile en se frottant les yeux. Je suis l'amoureux de Roseline et je…

— Quoi ?! Mais que faites-vous dans le placard ? Vous vous prenez pour Harry Potter ?

— Harry qui ?

— Laissez tomber. Continuez votre histoire.

— Je devais partir quelques minutes après Roseline, mais tu es revenue de l'école plus vite que prévu. Quand je vous ai entendues approcher en catimini, je me suis caché. Maintenant que j'ai perdu l'usage de mes yeux, je regrette amèrement ma décision…

Ses yeux écarlates lui donnent un petit air satanique. Ses joues creuses et ridées sont couvertes de larmes. Ses cheveux encroûtés par le fixatif semblent faits de plastique. En clair, monsieur Lamontagne a l'allure parfaite pour incarner un vieillard possédé dans un film d'exorcisme.

— Je ne comprends toujours pas, insiste Marisol. Sans vouloir vous offenser, vous n'êtes pas le premier type qui sort avec ma grand-mère. J'ai l'habitude de partager l'appartement avec ses prétendants. Pourquoi toutes ces cachotteries ?

— Roseline insistait pour garder le secret. Elle ne voulait pas créer de malaise entre nous.

— C'est réussi… Vous m'avez fait recommencer mon devoir trois fois sous prétexte que mon écriture était illisible ! se plaint ma meilleure amie en levant les bras au plafond.

— Je ne voulais pas me faire accuser de favoritisme.

— Vous préférez vous faire passer pour le pire des sadiques ?! Vous savez, un peu de compassion ne nuit pas…

— J'en prends bonne note, déclare-t-il laconiquement. Bon, il est temps pour moi de partir…

— Effectivement ! confirme Marisol, et barrez la porte en sortant. Émilie et moi avons d'autres chats à vaporiser…

TRICHE ET POSTICHE

Manœuvre militaire en cours. Colonelle Marisol se tient en position de combat, avec sa tenue de camouflage et sa perruque napolitaine.

Ses ordres sont clairs : nous devons attendre une cohorte assez importante et nous incruster subtilement au sein du groupe afin de dissimuler notre infiltration en territoire ennemi. C'est une stratégie pleine de bon sens, mais qui implique une longue et douloureuse attente, accroupies entre une poubelle puante et un buisson envahisseur.

Je moisis dans mon abri de fortune depuis vingt minutes, accablée par le vide et le désœuvrement. Ma seule distraction consiste à me battre avec les rameaux qui se coincent dans mes faux cheveux blonds à chaque bourrasque.

Non, attendez. Je suis de mauvaise foi. Ma meilleure amie se fend en quatre pour me divertir. Quand personne ne se bouscule pour entrer chez Sam, c'est-à-dire la plupart du temps, elle profite de ma captivité pour me casser les oreilles avec le flirt clandestin de sa grand-maman.

— De tous les fossiles croulants qui existent, elle a choisi celui qui a le pouvoir de me punir comme bon lui semble.

— C'est sa décision, pas la tienne. Je suis certaine que Roseline n'apprécie pas toujours tes chums, mais elle ne dit rien parce qu'elle souhaite ton bonheur avant tout.

— Aucun rapport. Elle n'a jamais eu à copier dix pages du dictionnaire parce que mon kick avait peur de se faire accuser de favoritisme. Monsieur Lamontagne serait capable de me faire couler mon cours d'histoire!

Des piaillements lointains interrompent son lamento. Le bruit effectue un crescendo rapide pour atteindre le volume d'un jet supersonique.

Armée de ses jumelles, Marisol longe le mur de briques et sort le bout de son nez pour espionner les invités. Sans quitter la scène des yeux, elle agite la main pour que je la rejoigne. Mon hypothèse se confirme: Dinde-Première et Dinde-Seconde se dandinent vers la porte, suivies de leur coq respectif.

— J'ai vu son nouveau clip, mercredi soir, babille Dinde-Seconde. Sa robe lui fait un derrière de jument. Horrible!

Sa complice pousse un rire niais et secoue sa longue chevelure comme dans une pub de shampoing.

C'est le moment crucial. Marisol agrippe son sac et range ses jumelles en vitesse. Nous effectuons un détour rapide par la rue, histoire de brouiller les pistes, puis nous nous dirigeons vers l'entrée avec autant de grâce et de naturel que l'imposent les circonstances.

— Détends-toi ! ordonne mon amie entre ses dents. Tu marches comme une automate embourbée dans des sables bitumineux.

— Comment veux-tu que je reste digne et gracieuse alors que je dois me tenir en équilibre sur des baguettes japonaises ? !

C'était la version officieuse. Dans les faits, je suis simplement morte de trouille. Et si Jade découvrait notre subterfuge malgré notre camouflage ultra-tendance ? Et si les organisateurs du party avaient pour ordre de tirer sur tous les imposteurs avec une carabine à plombs ?

Nous atteignons le joyeux quatuor au moment où Sam ouvre la porte. Mon amie sourit avec assurance, comme si sa présence était non seulement attendue et espérée, mais qu'elle était la condition *sine qua non* à la réussite du party.

La qualité de mon jeu est beaucoup moins convaincante. Dans un aveu flagrant de culpabilité, je contemple le sol en tirant sur les manches de mon chandail ultra-strass. Je me sens comme un imposteur ambulant.

— Entrez ! Tout le monde est en bas.

Sam me jette un regard trois secondes et demie plus long que pour les autres. Cette attention suffit pour que mon esprit paranoïaque bascule en mode panique. Se doute-t-il de quelque chose ? À moins que ce ne soit mes paillettes hypnotico-aveuglantes qui lui aient causé un malaise ?

Les jambes en guimauve, je me faufile dans la maison. Miracle, notre hôte ne demande ni mot de passe ni carte d'identité. Le chien de Sam, un bichon maltais hyperactif, bondit sur moi avec insistance.

— C'est drôle, commente Sam en essayant de calmer la bête. Doudoune est habituellement plutôt méfiante avec les inconnus.

Je ne suis pas spécialiste en comportement canin, mais l'animal semble se souvenir de moi pour m'avoir vue perdre la carte devant Thomas Saint-Louis dans un party précédent[3]. Son affection démesurée risque de trahir ma véritable identité. Elle est de mèche avec la Canine, ma parole !

Sam dépose la créature frisottante dans le salon et ferme doucement la porte. Bon débarras ! Nous suivons innocemment les autres au sous-sol, puis nous empilons nos vestes et foulards sur un lit qui fait office de vestiaire.

---

3. Si vous voulez en savoir plus sur le lien spécial qui nous unit, Doudoune et moi, reportez-vous à la mission « Le demi-dieu aux bas blancs » (tome 1 de *L'escouade Fiasco*)

Marisol souligne notre triomphe en levant son pouce. Je lui retourne un sourire discret. La victoire est encore loin. Je dois toujours conclure un traité de paix avec la Canine, une mission aussi réaliste que de sauter dans une fosse aux lions avec l'espoir fou de les convaincre à temps de devenir végétariens.

La musique me vrille les oreilles. Une trentaine de jeunes papillonnent d'un groupe à l'autre, parlant de musique et de cinéma avec la bouche pleine de chips. Sur la piste de danse improvisée au milieu de la salle familiale, un fêtard hyperactif glisse sur ses genoux en faisant mine de jouer de la guitare. Deux de ses compagnons, plus discrets, se limitent aux petits sauts inspiration ski alpin.

Assise sur un divan, en retrait dans un coin presque tranquille, j'aperçois Vanessa, alias le boa mangeur de demi-dieu, qui entortille amoureusement ses doigts dans les boucles d'un grand brun aux cheveux mi-longs.

Mon sens aigu de l'observation me permet de vous affirmer avec certitude que ce type ne figure ni dans son arbre généalogique ni dans la liste de ses amis proches. C'est un amoureux potentiel. Aucun doute possible.

Elle devrait avoir honte de flirter ainsi en public, alors que son copain affronte les ours sauvages et les gloutons agressifs de la taïga finnoise.

Je me demande si mon futur mari a eu vent des écarts de sa compagne. Je n'ai pas pour habitude de me mêler de la vie des autres, ce serait contraire à mes principes, mais il me semble qu'elle devrait se montrer plus discrète. Une photo compromettante est si vite arrivée dans les réseaux sociaux…

— Selon la rumeur, Vanessa et Xavier avaient rendez-vous au rocher fessier mardi dernier, crie Marisol à mon oreille pour couvrir la musique. Il lui a posé un lapin.

La soudaine mention du rocher me tire des songes finnois où mon esprit vagabondait avec Thomas. Je me rappelle l'expression furieuse qui déformait les traits reptiliens de mon ennemie. Tout s'explique.

— Elle lui a pardonné l'affront ?

— Jamais de la vie. Ce n'est pas Xavier qui est en train de se faire bichonner. Elle se venge en se rabattant sur son ami William.

On me tapote le dos pour attirer mon attention. Je me retourne et découvre avec horreur que Sam me fixe droit dans les yeux, les bras croisés.

— Émilie ?

Tous les muscles de mon corps se raidissent simultanément. Comment a-t-il fait pour me reconnaître ?!

— Hum… Ça dépend. Qui la demande ?

Il éclate de rire, interprétant ma réplique comme une plaisanterie hautement spirituelle.

— C'est cool, tes nouveaux cheveux. Je me demandais si tu cherchais toujours un accompagnateur. Euh... je veux dire... pas nécessairement pour aller au rocher. On peut aller au cinéma ou sortir danser. Je suis le meilleur pour effectuer des mouvements de robot.

Le chorégraphe appuie ses dires en se lançant dans une étrange imitation de R2D2 devant un public qui n'en demandait pas tant.

Malgré le côté novateur et dynamique de son invitation, je décline son offre avec tact pour éviter de me faire expulser de la maison.

Sam hausse les épaules et prend le large vers des horizons amoureux plus prometteurs, cherchant une fille qui saura apprécier à sa juste valeur son talent exceptionnel.

Il faut croire que cette histoire de graffitis me fait toujours passer pour une célibataire désespérée, une autre gracieuseté de ma tortionnaire.

Alors que je remets en question la qualité de mon camouflage, ma meilleure amie m'envoie un coup de coude. À deux pas de nous, Jean-Simon se tient devant le buffet, paré de ses sempiternels bas dépareillés, de son bracelet de cuir et de ses fringues rebello-branchées. Il semble fraîchement sorti d'une fabrique à crétins, mais comme je me balade avec un teint spécial bêta-carotène et une vadrouille platine vissée sur la tête, j'imagine que je ne suis pas en position de juger qui que ce soit.

Le Traître plonge la main dans le bol de chips et jette un regard distrait dans notre direction. Dans un mouvement brusque, il se retourne une seconde fois et nous détaille de bas en haut, les yeux exorbités.

Marisol fixe le plafond dans une tentative flagrante de l'éviter, comme nous le faisons avec brio depuis jeudi.

Notre ex-ami laisse tomber innocemment une bouteille d'eau qui roule, effectue quelques tonneaux et s'immobilise à mes pieds. Le Traître se dirige vers nous pour la ramasser et, dans une ruse qui ne m'échappe pas, il profite de cette diversion pour nous adresser la parole.

— Qu'est-ce que vous faites ici ? Vous n'êtes pas invitées. Et vos perruques sont ridicules !

Marisol se gratte l'oreille comme si elle était victime d'un bourdonnement irritant. Imperturbable, elle ignore l'ennemi avec une froideur implacable.

— Et toi, tu as des poils épars sur les joues, dis-je avec un air dégoûté. Tu as frotté ton visage sur le chien de Sam ou quoi ?

— C'est mon nouveau genre, explique-t-il en se bombant le torse. Je ne me suis pas rasé depuis trois jours.

— Tu devrais attendre que la puberté frappe avant de te laisser pousser la barbe, lâche mon amie, incapable de résister à la tentation d'une insulte gratuite. Ce n'est pas très concluant.

— Je me fous de votre opinion, se vexe l'aspirant barbichu. D'ailleurs, je ne sais même pas pourquoi je vous parle.

— Cette conversation est aussi désagréable pour nous que pour toi, j'ajoute avec rancœur. Tu sauras que cet échange est purement stratégique.

— Qu'est-ce que vous me voulez ?

— Quelqu'un a ouvert mon casier pour voler mes livres, mon écharpe et mon lecteur de musique. Tu ne saurais rien sur cette affaire, par hasard ?

Son expression change brutalement. La culpabilité transpire de tous les pores de sa peau. Une confession de cent cinquante pages n'aurait pas été plus explicite.

— C'était un accident. Je voulais redorer ton blason auprès de Jade en lui disant que tu es gentille, drôle et super intelligente.

— Mais encore…

— Jade était sceptique. Elle m'a rappelé la fois où tu as foncé dans un poteau de basketball. Je lui ai répondu que tu n'étais pas idiote, seulement un peu distraite. Pour appuyer mon argument, je lui ai raconté que tu avais même écrit le code de ton cadenas sur le casier d'en face pour ne plus l'oublier. Je voulais juste aider.

— Trop aimable. La prochaine fois, rends-moi service, abstiens-toi.

— Il n'y aura pas de prochaine fois. Tes problèmes ne me concernent plus.

Je recule d'un pas, sous le choc. Son détachement me fait l'effet d'une décharge électrique. Ce n'est pas Jean-Simon Boissonneault qui se trouve devant moi. C'est le nouveau pantin de la Canine.

Dinde-Seconde et Cochon-Rieur saluent de la main leur nouvelle recrue. Ils marchent vers lui avec la ferme intention d'engager la conversation. Le Traître panique, ne sachant trop quelle réaction est appropriée dans de pareilles circonstances. Il préfère finalement se débarrasser de moi en me poussant un peu plus loin. Il n'y met pas toute sa force, heureusement, mais avec ces satanées échasses qui me servent de chaussures, un soupir de fourmi pourrait me faire perdre l'équilibre.

Je me retiens sur le bord de la table pour ne pas tomber. Dans ma cascade, je renverse une bouteille d'orangeade abandonnée. Je la redresse assez vite pour sauver la nappe qui décore le buffet, mais pas assez pour éviter la pluie fluorescente qui s'abat sur la jupe et le chandail de ma demi-sœur.

Je pousse un couinement déchirant. Connaissant les penchants hystériques de Kelly-Ann, je suis bonne pour la potence.

Le Traître ne remarque rien de ma maladresse. Il est beaucoup trop passionné par les sottises de ses interlocuteurs.

— Je vais lui exposer le fond de ma pensée, tonne Marisol en se retroussant les manches.

— Pas la peine de saboter notre mission pour lui.

Déçue de ne pas pouvoir lui cracher ses quatorze vérités au visage, ma complice abdique. Elle jette un coup d'œil exaspéré sur son cellulaire.

— C'est encore Roseline. Elle m'appelle toutes les deux secondes depuis tout à l'heure. Si elle pense me convaincre que son amoureux n'est pas un vieux bourru dont la principale distraction est de pourrir la vie de ses élèves… Je reviens tout de suite.

Ma meilleure amie grimpe les escaliers et disparaît de mon champ de vision. Je suis seule dans la foule, mais étrangement, je me sens observée, traquée par un prédateur invisible.

C'est alors que je la vois. Jade Cardin, la vedette de tous mes cauchemars. Tapie dans l'ombre, avec ses yeux plissés et ses crocs tranchants, elle avance lentement vers moi, comme si le moindre faux pas pouvait me faire détaler.

Les jambes en bouillie, je surveille la progression de la tigresse. Mon instinct de survie me dicte de prendre la fuite, mais mon corps ignore toute commande en provenance de mon cerveau. Je suis paralysée.

Le félin lance son attaque avec un premier coup de griffe.

— Tu fais une cure de jus de carottes ou quoi ?

Super. Comme si je n'en avais pas assez de subir les railleries de ma tortionnaire durant la semaine, il faut aussi que je les endure pendant mes temps libres. Je me défends en employant ma tactique de prédilection : faire la morte.

— Tu n'as rien à faire ici, la Tortilla. C'est un party interdit aux minables comme toi qui sont dépourvus de style.

— Bien sûr. C'est sans doute parce que je suis une minable dépourvue de style que tu portes MON foulard. Rends-moi mes affaires !

— Je ne sais pas de quoi tu parles.

Elle exulte. Comme je la déteste ! Je rassemble mon courage et sors la lettre de supplication de ma poche. Le regard de la Canine se pose sur les petites fleurs de son papier rose et parfumé. Deux heures et demie plus tard, elle étouffe un cri de surprise dans la paume de sa main.

Le plan fonctionne. Mon ennemie est visiblement ébranlée.

Malgré mes mains tremblotantes et ma voix mal assurée, je lui pose un ultimatum qui ne n'autorise aucune négociation.

— Tu arrêtes de me persécuter. À partir de maintenant et pour toujours. Sinon, je lis cette lettre au micro devant tout le monde. Je suis sérieuse.

Nous nous dévisageons sans ciller. Quinze secondes. Trente secondes. Les règles sont implicites : la première qui baissera les yeux aura perdu. Après trois minutes de lutte acharnée et de déshydratation oculaire, mon adversaire capitule enfin. Victoire !

Dans un mouvement brusque, la Canine agrippe ma main et m'entraîne de force vers la salle de bain. Je ne devine rien de ses intentions, et c'est avec une certaine appréhension que je la vois fermer la porte et verrouiller la serrure.

— Tu as raison. J'ai été méchante avec toi.

Ce sursaut de compassion me laisse sceptique. Je garde un silence prudent.

— Je ne sais pas pourquoi. C'est plus fort que moi. Ce n'est pas une excuse, mais je crois que, malgré les apparences, je n'ai pas confiance en moi. Quand je me moque des autres, je fais rire mes amis. Je me sens un peu moins nulle.

Sa voix déraille. Elle étouffe un petit sanglot et se prend un mouchoir dans la boîte posée sur le meuble-lavabo. La Canine possèderait donc un capital sensibilité ?!

— Excuse-moi, gémit-elle entre deux solos de trompette. Je ne voulais pas pleurer devant toi. C'est cette vieille lettre qui me vire à l'envers. Quand j'étais avec Adam… je ne sais pas… je me sentais aimée telle que je suis. Je n'avais pas besoin de jouer les méchantes. La fin de notre histoire m'a bouleversée.

Je n'ai encore jamais vécu de rupture amoureuse, mais je peux certainement comprendre la profondeur de sa peine.

— Je suis désolée. Vraiment.

— Merci. Je ne t'achalerai plus. Promis. Tes affaires sont cachées dans un casier du vestiaire des filles. Je te les redonnerai lundi.

Je pousse un long soupir de soulagement. Je vais enfin retrouver mon quotidien sans moquerie, ni vol de lunch.

Jade ouvre la bouche, puis elle se ressaisit, hésitante.

— Je sais que je ne suis pas en position de te demander quoi que ce soit, bredouille-t-elle, et je comprendrais parfaitement que tu refuses, mais j'aimerais récupérer ma lettre. En souvenir de mon premier amour.

Dans un geste que je souhaite plein de noblesse, je lui tends docilement la missive.

Elle effleure le papier du bout des doigts quand je fais subitement volte-face et ramène la feuille vers moi.

— Tu auras ta lettre quand j'aurai retrouvé mes affaires. Je suis gentille, mais pas stupide.

La Canine, hystérique, pousse un hurlement vengeur et se rue sur moi comme un tank sans système de freinage. Elle tire sur mes bras pour m'arracher la lettre. Je résiste de toutes mes forces et me recroqueville sur moi-même pour cacher la feuille contre mon ventre.

Jade saute sur mon dos. Sa méthode suffit pour que je perde pied. Les barres tendres de Marion ne devaient pas être faibles en calories. Satisfaite de son offensive, mon adversaire descend de sa monture. Je trébuche sur le rebord du bain-douche et tombe les deux fesses dans la baignoire, un peu sonnée.

Je n'ai pas le temps de me redresser que Jade revient à la charge. Alors que je serre la boulette de papier dans le creux de ma main droite, ma rivale essaie de me forcer à ouvrir les doigts. Avec ma main gauche, j'agrippe une éponge de tulle qui pendouille sous la douche et je l'utilise pour assommer mon ennemie.

Pas du tout affectée par mon attaque à la houppette, la Canine ouvre le robinet. Je pousse une exclamation de fureur. Un jet glacé me tombe sur la tête !

Elle profite de ma surprise pour voler la lettre et reculer de plusieurs pas. Je coupe l'eau et tente de rejoindre mon assaillante, mais le plancher glissant de la baignoire ralentit ma sortie.

Trop tard.

Jade déchire la feuille en mille morceaux, les jette dans les toilettes, puis tire la chasse d'eau avec un air triomphal.

Mon unique arme de négociation est ruinée, disparue dans les égouts. Ma vie est fichue !

En proie à une rage folle, je scrute les alentours, à la recherche d'un objet contondant, mais un autre dossier plus urgent retient mon attention : les toilettes débordent. Mais alors totalement. L'eau recouvre le plancher de céramique et imbibe la carpette décorative aux rayures nautiques.

Alors que j'essaie de minimiser les dommages en tirant la chasse d'eau de nouveau, mon ennemie observe la scène sans bouger :

— Fais quelque chose, Jade !

Exceptionnellement, la Canine accepte de suivre mes ordres. Elle déverrouille la porte et sort de la pièce avec précipitation. J'imagine qu'elle va appeler Sam en renfort ou utiliser le chien comme serpillière.

Erreur.

Avec son talent de figurante dans une infopub, elle se couvre la bouche comme si elle était en état de choc avancé :

— Émilie ! Mais qu'est-ce que tu as fait ! ?

Son cri indigné alerte les foules. Une dizaine de personnes accourent vers la salle de bain pour assister au spectacle affligeant : moi, le maquillage dégoulinant, la perruque en bataille, les genoux qui baignent dans l'eau de cuvette. Je tente de nettoyer le dégât avec une vulgaire débarbouillette.

Dans sa grande générosité, Jade me lance mon écharpe volée :

— Tu peux t'en servir pour essuyer l'eau. Ce n'est qu'une vieille guenille de toute manière.

Personne ne prend ma défense. Personne ne me donne un coup de main. Je voudrais leur crier mon innocence, leur dire que je n'ai rien fait de mal, mais je sais trop bien qu'aucun de ces dégonflés ne croira ma version des faits.

Faute de preuves et de courage, je continue de frotter le carrelage en ne desserrant les dents que pour marmonner une série de jurons. Je me sens comme la fille la plus pitoyable de la terre.

— Dégagez ! Tassez-vous !

Jean-Simon se taille une place parmi les curieux et découvre avec horreur mon désastre sanitaire. Au même moment, Cochon-Rieur, toujours hilare, braque son téléphone sur moi afin de prendre une photo. De mieux en mieux ! Avec un peu de chance, mon instant de disgrâce fera le tour du monde en un clic, incluant une petite escale en Finlande.

Je lui jette mentalement un mauvais sort pour qu'il se retrouve avec un teint rose bonbon et une queue en tirebouchon, quand Jean-Simon lui arrache le cellulaire des mains et le catapulte dans les toilettes, façon panier de basketball.

— Si je vois passer une seule photo de cet incident, je me charge personnellement de zigouiller le responsable, menace-t-il avec son timbre de baryton.

Les rires s'estompent. Les regards se baissent. Jade le fixe la bouche ouverte, déstabilisée par les grognements hargneux de son toutou habituellement si doux.

Jean-Simon fouille dans les tiroirs du meuble-lavabo et sort quelques serviettes pour couvrir le plancher mouillé. Alerté par ce branle-bas de combat, Doudoune entre elle aussi dans la salle de bain et participe au grand ménage en lapant cette eau de qualité discutable.

Notre équipe de nettoyage après sinistre éponge dans un silence inconfortable. Ma perruque blonde me tombe sur le nez. J'essaie de la replacer sur ma tête, mais Jean-Simon la retire aussitôt.

— Tu n'as pas besoin de cacher qui tu es. Pas plus ici qu'ailleurs.

Je voudrais le remercier, mais une boule de billard se forme dans ma gorge. Je me contente de lui adresser un sourire reconnaissant, les yeux aussi humides que ceux d'une truite arc-en-ciel. Mon ami retrouvé flanque sa serviette imbibée dans la baignoire, puis il se redresse sur ses jambes :

— Allez, on s'en va, commande-t-il en me tendant la main. Nous avons fait plus que notre part.

Comprenant que son nouveau protégé envisage de la laisser tomber pour une moins que rien, Jade nous barre le passage et agrippe fermement le bras de Jean-Simon:

— Tu vas me le payer, souffle-t-elle assez fort pour que je capte aussi la menace.

— Parfait! Voici un premier versement, riposte-t-il en lui redonnant son bracelet de cuir.

Nous allons récupérer nos manteaux, puis nous sortons sur le balcon sans salutation ni remerciement, comme deux voleurs en pleine nuit. Le temps est frais, mais il ne fait pas encore trop sombre. Assise dans les escaliers, Marisol blablate toujours au téléphone. En m'apercevant, elle raccroche au beau milieu de sa phrase.

— Qu'est-ce que tu fais dehors? Et pourquoi est-ce que le Traître est avec toi?!

— La fête est finie, dis-je en lui lançant son manteau. On pourrait marcher un peu? J'ai besoin de reprendre mes esprits.

Marisol accepte la proposition sans poser de question. Son silence dure trois secondes et demie.

— Tu te sens mieux? Je peux savoir ce qui se passe maintenant?

— Jade a...

— Je ne t'ai rien demandé, Jean-Simon Boissonneault !

Je me glisse entre les deux ennemis pour éviter un duel sanglant, puis je déballe toute l'histoire : le piège de la Canine, son discours touchant, ses larmes de crocodile, notre combat sans merci en milieu humide, la lettre déchirée puis jetée dans la cuvette des toilettes, mon désespoir de ne plus avoir aucun recours... J'en étais au sauvetage de Jean-Simon quand Marisol m'interrompt.

— Attends un instant... Es-tu en train d'insinuer que le perfide Jean-Simon a pris ta défense devant Jade ?

— Affirmatif.

— Et il s'est agenouillé dans l'eau des toilettes pour nettoyer avec toi ?

— Son pantalon peut en témoigner.

Elle se retourne vers mon sauveur inattendu.

— As-tu vraiment ruiné le cellulaire de Cochon-Rieur en le catapultant dans la cuvette ?

— À moins que ce ne soit un modèle hyper-futuriste-aqua-résistant, je dirais que oui.

Marisol médite sur ces nouvelles informations quelques secondes, puis elle rend son verdict.

— OK. J'enterre la hache de guerre. Tu peux réintégrer les rangs. Mais tu me promets que dorénavant, tu classeras convenablement tes chaussettes. Je ne supporte plus de voir tous ces bas dépareillés...

Nous éclatons de rire, puis nous partons bras dessus bras dessous. J'ai les cheveux ruinés, le visage barbouillé et les pieds en sang dans mes échasses inconfortables, mais pour la première fois depuis la rentrée scolaire, je me sens incroyablement bien.

LA DOUBLE VIE DU LUTIN

Après un vote unanime, nous avons décidé de célébrer nos retrouvailles par une orgie de chocolat chez les Robinson. Assise sur le plancher de ma chambre, Marisol finit son verre de lait en feuilletant un vieux magazine. Jean-Simon pitonne sur mon ordinateur en engouffrant le dernier biscuit au triple chocolat. Couchée en étoile sur mon lit, je digère mes dernières mésaventures en grignotant le reste des amandes enrobées.

— Je ne peux pas croire que la Canine a détruit la lettre… Si vous saviez comme je regrette de ne pas avoir écouté madame Hilton quand elle nous enseignait les différentes prises de lutte gréco-romaine, en éducation physique…

— Tu te fais du mal inutilement, assure Jean-Simon. Même si tu avais suivi dix ans de cours privé avec un maître du karaté, Jade aurait remporté le combat haut la main.

Marisol attrape un coussin décoratif et le lui lance sur la tête :

— Es-tu encore en train de prendre son parti ?

— Bien sûr que non. Jade va trop loin. Mais il faut reconnaître qu'elle est une adversaire redoutable, rapide et agile. Et je continue de penser qu'il y a autre chose sous sa carapace de monstre au cœur sec…

Marisol récidive avec un deuxième projectile.

— Les séquelles de ton lavage de cerveau sont plus graves que je ne le craignais !

— Quéche que tu fffais à lodihateur, dis-je la bouche peine de noix chocolatées ?

— Je veux m'assurer que personne n'a mis de photo du party malgré mes menaces. Je viens de finir ma tournée des réseaux sociaux et j'ai tapé « Émilie Robinson » dans deux moteurs de recherche. D'ailleurs, je ne savais pas que tu travaillais comme artiste-graphiste aux États-Unis et que tu avais remporté la médaille de bronze en escrime au championnat régional de Haute-Normandie en 1992.

Je pouffe de rire.

N'empêche. Il me serait utile de savoir manier le fleuret, par les temps qui courent…

— Comment je vais faire pour contrer Jade maintenant ? J'en ai assez de me ronger les ongles pour tromper la faim chaque après-midi. Elle tient toujours mon lecteur de musique en otage. As-tu des propositions, JS ? Après tout, tu as été son disciple pendant quelques heures. Tu connais mieux que nous ses faiblesses.

— Désolé, je suis beaucoup trop occupé à chercher les centres d'intérêt de nos homonymes. J'ai découvert un Jean-Simon fromager et un Jean-Simon collectionneur de Monsieur Patate!

Marisol lève les yeux de son article:

— Et si on organisait une infiltration nocturne dans sa chambre pour lui voler un objet de valeur? On enfile nos habits noirs de camouflage et on glisse une caméra-tube infrarouge dans les tuy...

— HA, HA, HA!

Plié en deux sur sa chaise roulante, Jean-Simon essuie une larme naissante dans le coin de son œil:

— Je ne veux surtout pas interrompre ce qui s'annonçait comme le plus grand fiasco de la décennie, mais il faut absolument que vous veniez voir cette vidéo. Regardez ce que j'ai trouvé en tapant « Mira Jarvinen » dans Google.

Une rouquine au teint de porcelaine et aux adorables fossettes tient un micro sur un plateau télévisé. Elle doit avoir cinq ou six ans, mais avec sa taille de lilliputienne, il est difficile de fournir une estimation précise. En revanche, je reconnais hors de tout doute les taches de rousseur et les traits délicats de mon amie finlandaise.

La petite Mira est plutôt mignonne. On ne peut malheureusement pas en dire autant de son style.

Elle arbore non seulement une navrante coupe champignon, mais ses cheveux sont gaufrés pour un effet extra-volume. Pire encore, sa robe saumon à manches bouffantes et volants en tulle pourrait causer un infarctus à un créateur de mode.

Soyons claire. Je suis certaine que mes boîtes à souvenirs regorgent de vidéos tout aussi traumatisantes. Mais comme ma maman océanographe habite dans les profondeurs de la toundra québécoise pour son travail, elle n'a ni le temps ni la connexion internet nécessaire pour diffuser massivement ces horreurs. Je peux donc rigoler sans me soucier des effets néfastes sur mon karma virtuel.

La fillette discute avec l'animateur. Évidemment, je ne comprends pas un demi-mot de leur échange, mais la foule de spectateurs semble attendrie, en particulier un homme à la barbe rousse et une femme aux proportions XXP. Je ne voudrais surtout pas faire de conclusions hâtives, mais je ne crois pas me tromper en affirmant que ce sont ses parents.

L'animateur se retire en coulisse. La musique commence. Mira ouvre la machine et imite la diva internationale Marina Corey. La reproduction est presque parfaite.

Marisol fixe l'écran avec émotion, visiblement bouleversée par sa prestation.

— Comment un si petit corps peut-il abriter une voix si puissante ?

— Elle doit cacher un amplificateur microphonique dans sa robe, se moque Jean-Simon.

En poursuivant nos investigations, nous découvrons trois autres vidéos de ses performances musicales. Coiffée de son abominable bol capillaire et de ses robes aux froufrous terrifiants, Mira imite tour à tour Courtney Spire, Cécile Sillon, Ginnifer Gomez… Elle ne connaît aucune limite ! Un article de journal finnois dont nous avons fait traduire le titre dans un dictionnaire gratuit en ligne parle d'elle en ces mots : « La enfant voix mille ».

Bon. Il n'est pas gratuit pour rien, mais nous en avons déduit que le titre signifiait quelque chose comme : « L'enfant aux mille voix ».

Sans crier gare, ma meilleure amie recule de trois pas et étend ses bras en croix :

— Je sais comment en finir avec la Canine ! jubile-t-elle dans une illumination divine.

Jean-Simon et moi échangeons un regard perplexe.

— Il faut simplement que tu utilises la puissance de ton adversaire pour la terrasser, un peu comme au judo.

— Excellente idée ! ironise Jean-Simon. Selon toi, Émilie devrait lui faire une projection en cuillère ou la prise de la grande roue ?

— Je suis sérieuse. Quel est le pouvoir de Jade ? Celui qui fait qu'elle peut tout se permettre sans que personne ne dise jamais rien ?

— Ses canines meurtrières ?

— Non, corrige Marisol. Sa popularité ! Appelle Mira. Nous allons tout de suite chez les Saint-Louis.

Quelques minutes plus tard, la maison de mon demi-dieu se dresse droit devant nous. Imposante. Majestueuse. Sacrée. Je me sens comme une groupie qui approche de la loge de son idole.

Sans grande surprise, mes amis ne partagent pas mon émoi. Marisol appuie sur la sonnette en tapant impatiemment du pied alors que Jean-Simon se colle le nez contre la porte vitrée.

Malgré mes supplications, ma meilleure amie refuse de me dévoiler son idée de génie. Elle veut attendre Mira pour ne pas être obligée de tout répéter cinq minutes plus tard. Je ne sais pas pourquoi elle se donne autant de mal pour économiser sa salive, mais ce petit suspense n'augure rien de bon.

Je profite de ce bref instant d'attente involontaire pour scruter mon reflet dans la vitre. Je fais un bond. La vision est franchement terrifiante ! Je ne porte évidemment plus ma perruque blonde, mais mes cheveux aplatis me moulent la tête comme un bonnet de bain. Pire encore, mon maquillage coule, mon teint orange accentue les taches de ma jupe et mes manches humides empestent le fond de cuvette. En clair, je ressemble à une starlette qui aurait passé la nuit dans un conteneur à déchets.

— Ton plan est mieux d'en valoir la peine, dis-je en direction de ma complice. Je risque gros en me présentant ici sans avoir pris le temps de me changer. Ce n'est pas avec mon allure de mendiante que je vais impressionner mes futurs beaux-parents.

— Il faut toujours que tu dramatises tout. Mira a dit qu'elle nous attendait et tu ne ressembles pas à une clocharde. Tu es belle comme tout et ton teint semble de plus en plus naturel.

— Surtout quand tu es dans le noir, glisse Jean-Simon.

Je lui tire la langue quand Papa Saint-Louis nous ouvre la porte avec un sourire si chaleureux qu'il accélère probablement la fonte des glaciers,

— Bonsoir ! Vous êtes les amis de Mira, je suppose. Entrez !

Il accroche nos manteaux sur des cintres et me couvre de ses bienveillants yeux verts, exactement les mêmes que ceux de son divin descendant. Je fixe mes pieds pour éviter de me liquéfier sur place.

— Elle est dans sa chambre, en haut. Je vous accompagne.

— Ce n'est pas nécessaire, décline poliment Jean-Simon. Émilie peut nous indiquer le chemin. Elle n'en est pas à sa première visite.

Je le fusille du regard, ce qui signifie en langage codé : « Tu la boucles ou je t'arrache moi-même les cordes vocales. »

— Bien sûr ! s'exclame Papa Saint-Louis. Tu es une amie de Thomas, celle qui fait de la course. Tu as quelque chose de différent...

— Elle a pris des couleurs durant les vacances, suggère Marisol dans un dernier espoir de sauver sa réputation en tant que maquilleuse.

Perplexe, notre hôte lui adresse un sourire courtois avant de détourner la conversation vers un sujet plus important.

— Je suis content que vous soyez ici. Mira ne sort pas souvent en dehors de l'école. Elle m'a dit beaucoup de bien de toi, Émilie.

Mes joues s'empourprent sous mes trois couches de poudre bronzante.

— Mira est vraiment gentille. Je l'adore.

— Tant mieux. Elle est un peu notre protégée, du moins pour les dix prochains mois, et je ne voudrais surtout pas qu'il lui arrive quelque chose de mal.

— Ne vous inquiétez pas, le rassure Jean-Simon en glissant son bras sur mes épaules. Émilie veille sur tous vos protégés.

Cette allusion plus ou moins subtile me fait sursauter. Il veut lui dévoiler mes sentiments pour Thomas ou quoi ?! Je lui pince le bras pour le réduire au silence.

— AÏE !

— Il faut y aller, dis-je en poussant mon ami vers les escaliers. Bonne soirée, monsieur Saint-Louis !

Nous grimpons les marches, puis nous entrons dans la chambre de Mira qui avait laissé la porte ouverte. Assise sur son lit, elle écoute de la musique, le nez plongé dans un roman au titre indéchiffrable pour le commun des non-Finnois.

Au lieu de sa coiffure post-apocalypse, une horreur dont j'assume l'entière responsabilité, elle arbore une jolie coupe courte aux épaules. J'aurais sans doute pu qualifier son style de branché, si j'étais au courant des tendances capillaires du moment.

— Salut ! J'adore ta nouvelle coupe, complimente Marisol dès que Mira retire son casque d'écoute.

Alors que les deux filles discutent de revitalisant et de frisottis indociles, je contemple les alentours avec une fervente admiration. Je ne peux pas croire que je suis dans la chambre de Thomas.

Mira a évidemment ajouté sa touche personnelle, comme cette photo de famille sur la table de chevet, mais autrement, la plupart des meubles et objets appartiennent à mon demi-dieu.

Inconscient qu'il se trouve actuellement dans un lieu sacré qui impose le respect, Jean-Simon fouille dans les profondeurs de la garde-robe et en ressort une pile de jeux vidéo oubliés. Marisol accentue la profanation en se jetant sur la chaise pivotante du bureau.

— Passons aux choses sérieuses, commande-t-elle en prenant une feuille de papier et un stylo. Nous avons du pain sur la planche.

J'essaie de voir ce qu'elle dessine, mais la stratège aux intentions nébuleuses cache son gribouillis avec sa main.

— Comme vous le savez, Jade torture Émilie depuis une semaine.

Elle appuie son affirmation en dressant la liste des atrocités commises à mon égard. Force est de constater que la Canine fait preuve d'une ingéniosité redoutable pour me martyriser. J'ai manifestement sous-estimé son intelligence.

—... graffitis dans les toilettes, surnom méprisant, humiliations en public...

Je ne peux pas croire que Jade s'acharne sur ma pauvre personne. Moi, Émilie Robinson, charmante et inoffensive. Qui aime les marguerites et qui prends des mesures exceptionnelles pour ne pas écraser accidentellement une fourmi.

Trente-deux heures plus tard, ma meilleure amie termine son recensement des faits et nous dévoile enfin son plan secret.

PLAN PÉTARD MOUILLÉ

— La puissance de la Canine repose sur sa popularité, discourt-elle devant son public attentif. Elle est en quelque sorte la reine autoproclamée des élèves de secondaire trois. Personne ne s'oppose à elle, sachant trop bien les longues et terribles représailles auxquelles on s'expose à la moindre provocation.

— Tu m'en diras tant, dis-je avec sarcasme…

— Mais que se passerait-il si Jade n'était plus la fille la plus populaire de notre niveau ? Si elle se faisait, par exemple, voler la vedette par quelqu'un d'autre ?

Silence.

— La réponse est simple : elle ne pourrait plus se permettre de jouer les intimidatrices. Sans le support permanent et inconditionnel de la masse, la Canine est désarmée.

Satisfaite de son effet, Marisol poursuit son allocution avec le sérieux d'un politicien en campagne électorale.

— C'est ici que Mira entre en scène. Il suffit de la faire passer pour une vedette de la musique, une étoile montante de son pays, pour que Jade perde de son lustre.

Perplexe, je me prends le menton entre le pouce et l'index :

— Es-tu vraiment en train de proposer qu'on transforme Mira en superstar finnoise pour que mon ennemie me laisse tranquille ?

— Absolument.

Ma meilleure amie est un vrai génie !

Les deux autres soldats de la cohorte semblent beaucoup moins enthousiastes. Jean-Simon regarde Marisol comme si elle venait de proposer de faire rôtir Mira à la broche. Exaspéré, il se dissocie de notre plan en poursuivant sa fouille non autorisée en Terre sainte.

Notre recrue potentielle fait les cent pas en se tortillant les mains.

— C'est sûrement à cause de mon français, mais je ne suis pas certaine de comprendre ce que vous voulez faire.

— Ce n'est pas une question de langue, la rassure Jean-Simon, le nez enfoui dans les hauteurs de la garde-robe. Le problème se trouve plutôt entre les oreilles de Marisol et d'Émilie.

— Ce ne sera pas compliqué, promet ma complice, ignorant le commentaire désobligeant. Si on te pose des questions, tu dois seulement confirmer que tu es une célébrité finnoise venue ici pour étudier quelques mois loin des projecteurs.

— Mais c'est absurde, je ne suis même pas connue !

— Ce n'est pas tout à fait vrai... Nous avons vu les vidéos de tes imitations.

Mira étouffe un cri dans sa main. Elle se laisse tomber sur lit, le visage encore plus diaphane que d'habitude.

— C'est impossible. Comment les avez-vous trouvées ?

— Par hasard. Tu es passée plusieurs fois à la télévision et tu as un véritable talent. Peu de chanteuses populaires peuvent en dire autant, ajoute Marisol.

— Je suis seulement allée deux ou trois fois dans des émissions locales parce que mes parents insistaient. C'était il y a longtemps. J'avais sept ans !

Jean-Simon sort la tête de la garde-robe :

— Sept ans ? Tu as cessé de grandir en maternelle ?!

— Je veux vous aider. Vraiment. Mais je n'aime pas mentir.

— Ce n'est pas vraiment mentir : tu as réellement eu ta minute de gloire dans les médias finlandais. Quand les élèves de l'école iront sur Internet pour vérifier la rumeur, ils tomberont sur de vrais articles qui parlent de toi, ils verront tes imitations…

Mira écarquille les yeux, visiblement horrifiée par la perspective que ces vidéos humiliantes la rattrapent de l'autre côté de l'océan.

— Hors de question. Je ne vois pas comment mes vidéos de jeunesse pourraient supporter notre cause. Au contraire, elles nous nuiront plus que d'autre chose.

Touché. Je mets finalement en doute l'idée de Marisol. Si ça se trouve, Jade se servira du style douteux de Mira pour nous ridiculiser davantage. Je refuse que la protégée du clan Saint-Louis devienne une cible facile par ma faute !

Consciente qu'elle est en train de perdre du terrain, ma meilleure amie sort l'artillerie lourde. Elle enroule son bras autour des épaules de sa proie :

— Je comprends ton hésitation, mais souviens-toi que toutes les grandes divas ont eu des coiffures catastrophiques en début de carrière. C'est un passage obligé. Tiens, ta coupe de champignon gaufré me fait penser à celle de Sharika quand elle était jeune.

— Sauf que j'ai seulement sa coupe. Je n'ai pas sa célébrité ni son talent.

— Ne sous-estime pas le pouvoir de tes passages à la télévision… De nos jours, c'est suffisant pour devenir une vedette et attirer le respect des foules.

— Je déteste le reconnaître, mais Marisol a raison, intervient Jean-Simon de son repaire. En février, Martin-Pier est devenu la star de l'école après avoir été filmé en train de s'étouffer avec un popcorn, durant un match du Canadien…

Ragaillardie par ce soutien inattendu, notre caporale en chef grimpe sur le lit dans un ultime effort de galvaniser les troupes.

— Tu as une voix superbe et un don inné pour les imitations. Tu n'as pas le droit de garder ces dons pour toi. Tu dois les utiliser pour faire le bien, pour redonner espoir aux opprimés, pour ramener un peu de justice dans ce monde de brutes !

Elle termine son allocution le poing levé au plafond. Son discours suffit à dissiper mes doutes. Le plan est infaillible. Mira est notre seul espoir. Je retiens mon souffle.

— Il est vrai que Jade ne peut pas continuer ainsi, consent la soldate dissidente. Et je suis prête à tout pour défendre mes amis.

Son ton laisse entrevoir un certain désir de combattre les forces du mal et de l'intimidation. Je ne bouge plus, comme si le moindre mouvement pouvait jouer en ma défaveur.

— D'accord. Je veux bien jouer le jeu.

Je lui saute au cou en poussant un cri de joie. Mira retrouve enfin ses couleurs et esquisse un sourire un peu plus confiant. Marisol tape frénétiquement des mains en sautillant sur place.

— Fantastique ! Il faut mettre le plan à exécution. Nous lancerons la rumeur lundi, en fin de journée. Il y a seulement un petit hic…

— Je te trouve bien optimiste, marmonne Jean-Simon avec un air moqueur.

— Une personne, toutefois, pourrait démentir notre version des faits : Thomas Saint-Louis.

Elle a raison. En tant que membre honoraire de la tribu finlandaise, mon demi-dieu peut facilement invalider notre histoire. Après tout, il serait le premier au courant s'il vivait dans la maison d'une jeune imitatrice en vogue.

— Il faut lui écrire pour lui expliquer la situation. Tout de suite. Et je crois que tu es la personne la mieux placée pour le faire.

Je me retourne pour voir qui est ce négociateur désigné qui se cache derrière mon épaule. Il n'y a personne.

Marisol me fait un petit sourire timide. Elle délire ou quoi ! ? Hors de question de lui avouer que je suis devenue une pauvre crevette victime d'intimidation. Ce genre de révélation embarrassante ne figure nulle part dans mon plan de séduction à long terme !

— Tu n'as pas le choix, Émilie, insiste mon amie comme si elle lisait dans mes pensées. Nous allons te donner un coup de main pour rédiger le message. Et tu n'as pas besoin d'entrer dans les détails…

Je pousse un soupir de lassitude et lui tends mon cellulaire en signe de reddition. Nous passons de longues minutes à pondre un courriel qui le convaincra de signer une entente top-secrète avec notre commando spécial. Le résultat final n'est pas trop mal.

Hei Thomas !

Comment vas-tu ? Je suis un peu en retard, mais je te félicite pour ton acceptation dans le programme d'échange étudiant. Quel beau défi !

Malheureusement, je crains que les nouvelles ne soient pas aussi bonnes de mon côté. Peut-être même en as-tu reçu des échos depuis ton lointain coin de pays ? Bref. Je ne te fatiguerai pas avec les détails, mais disons seulement que Jade ne me porte pas dans son cœur et qu'elle ne manque pas une occasion de me le rappeler. Mira Jarvinen, que tu connais déjà pour habiter chez elle, a gentiment accepté de me donner un coup de pouce. Le lien va probablement te sembler obscur, mais si jamais on te pose des questions sur elle, en te demandant, par exemple, si elle a une certaine notoriété comme chanteuse-imitatrice, je t'en prie, ne le démens pas.

Je ne veux surtout pas te mettre dans une situation inconfortable, mais si tu pouvais seulement jouer le jeu, advenant que l'occasion se présente, je t'en serais sincèrement reconnaissante.

Mille mercis.

Näkemiin!

Émilie xx

P.-S.: Pour soulager ta conscience, sache que ce n'est pas vraiment un mensonge. Mira a une voix magnifique et elle courait les émissions de variété finlandaises durant son enfance.

P.P.-S.: Pourrais-tu subtilement demander à ma mère de ne plus m'envoyer ses biscuits aux épices par la poste? Ils arrivent ici en tas de poudre. (signé Mira)

P.P.P.-S.: Est-il vraiment possible de tomber sur le père Noël au dépanneur quand on vit en Finlande? Simple curiosité. (signé Marisol)

P.P.P.P.-S.: Où as-tu acheté ton pyjama de Space Attack? Il est vraiment cool! (signé Jean-Simon)

P.P.P.P.P.-S.: Surveille Vanessa. Elle a le cœur infidèle du serpent. (signé Une amie qui te veut du bien)

Je relis le texte une dernière fois, le cœur gros de devoir me montrer si vulnérable devant le seul être humain que je souhaite vraiment impressionner. J'appuie sur le bouton fatidique et envoie la missive avant que le gros bon sens ne me fasse changer d'idée.

Le message est parti. Il est trop tard pour reculer. Les dés sont jetés.

JOUR 5

LE PACTE AVEC LA FAUSSAIRE

Je me tourne et me retourne dans mon lit, entortillée dans mes couvertures comme une chenille prisonnière de son cocon. C'est bien la première fois que je me réveille avant le soleil un samedi matin.

Il faut me rendre à l'évidence : je ne me rendormirai pas. Même quand je ferme les yeux et que je visualise des choses agréables, comme les mollets de Thomas, mes idées noires surgissent de nulle part et reviennent me hanter.

Je suis toujours convaincue par le plan de Marisol. Il représente ma meilleure chance de briser le joug de la Canine. Mais il est aussi drôlement ambitieux. Le moindre faux pas pourrait envenimer la situation. Je n'ose pas imaginer quelle serait la vengeance de mon ennemie en cas de fiasco et il est hors de question que je passe de crevette à plancton au sein de la chaîne alimentaire de l'école.

Notre campagne de propagande doit être la plus professionnelle et la plus persuasive possible. Ma survie en dépend. Il faudrait que je bénéficie des conseils d'un spécialiste dans l'art du mensonge et de la falsification, comme un faussaire ou…

Une publicitaire !

Je me redresse brusquement, assise bien droite sur mon matelas, comme électrocutée par mon éclair de génie. Avec son expertise en marketing et tromperie, Marion pourrait facilement me guider dans la création de notre rumeur.

Revigorée par cette perspective réjouissante, je saute hors du lit et me précipite dans la cuisine pour attraper ma belle-mère à la machine à expresso.

Je prépare mon argumentaire depuis une dizaine de minutes quand je la vois arriver avec sa robe de chambre, son teint blafard et ses petits yeux de souriceau congestionné.

— Bonjour ! Tu sembles en grande forme ce matin. Tu as combattu ton virus ?

— Mgrmmarggboff.

Marion vient de formuler un grognement de plusieurs syllabes avant même sa première dose de caféine. Excellent signe. Elle est de bonne humeur.

— Je peux te préparer une omelette, si tu veux. Avec tout plein de fromage et de bacon.

— Qu'est-ce qui se passe, Émilie ?

— Tu agonises depuis deux jours et mon père revient de son colloque seulement mercredi. Il faut bien que quelqu'un prenne soin de toi.

Elle démarre la machine sans me quitter du regard, comme si elle attendait la suite de l'histoire.

— Bon. Si tu insistes, je voulais aussi en profiter pour te demander un tout petit service de rien du tout.

— Tu m'étonnes…

— Une copine de l'école, Mira Jarvinen, arrive de Finlande. Elle n'a pas beaucoup d'amis et je voudrais lui inventer un statut de célébrité finnoise pour qu'elle paraisse plus cool aux yeux de tous. Quelque chose de tout simple. Un faux article de journal avec une photo. Tu pourrais me conseiller ?

— Certainement. Tu devrais dire à ton amie qu'on tisse des liens en allant vers les autres tels que nous sommes, et non pas en se bricolant une double vie.

Elle peut bien jouer les ayatollahs de la vérité. Ma belle-mère consacre ses journées à convaincre les foules que le papier hygiénique triple épaisseur est une condition essentielle au bonheur familial.

— Ce n'est pas si simple, dis-je en tirant aimablement sa chaise. Il y a aussi cette autre fille, sournoise et mesquine, qui lui fait des coups bas depuis une semaine.

— Si Mira se fait intimider, il faut qu'elle dénonce la situation à la direction. C'est du sérieux.

— Je refuse de... Euh... Elle refuse de passer par le chemin officiel. Elle préfère régler les choses par elle-même.

— Émilie, susurre-t-elle de sa voix douce et agonisante... Vas-tu finir par raconter ce qui se passe ?

Je pousse un soupir de lassitude et m'assois sur la chaise voisine :

— D'accord... Si tu veux tout savoir, il est vrai que je veux obtenir tes conseils pour créer une fausse rumeur sur le passé de Mira. Mais l'autre fille, la mesquine, n'est pas sur son dos. Elle est sur le mien.

— Donne-moi un nom.

— N'importe lequel ?

— Je veux savoir qui te persécute. Donne-moi son nom tout de suite.

Attention, dérapage en vue ! Si je lui confie ce genre de détail, elle risque de contacter les parents de Jade et de tout déballer aux autorités scolaires. Des plans pour que la Canine me torture encore quand je serai vieille et ratatinée dans ma maison de retraite...

Pas de panique. Il suffit de lui expliquer, avec éloquence et diplomatie, que je préfère ne pas lui dévoiler son identité.

— JAMAIS !

Je vous jure, c'était beaucoup plus éloquent et diplomatique dans ma tête.

— Comme tu veux… Je te souhaite bonne chance pour la suite des événements.

Ma belle-mère allume sa tablette électronique et parcourt tranquillement son journal du matin.

Elle bluffe.

C'est évident.

Elle ne restera pas les bras croisés alors que je souffre le martyre.

Non ?!

— Pitiéééé ! Il faut absolument que tu m'aides ! C'est une question de vie ou de… vie ratée !

Elle me dévisage sans ciller pendant quelques secondes.

— Suis-moi.

Sans même attendre ma réponse, elle grimpe l'escalier, entre dans ma chambre et ouvre le plus haut tiroir de ma commode, un vieux meuble en bois écaillé qui lui appartenait il y a plusieurs années.

— Regarde à l'intérieur.

— Je sais, mes vêtements sont roulés en boule. Je te promets de les plier convenablement avant demain soir, mais je ne vois vraiment pas en…

— Non ! Lis l'inscription.

Je remarque alors deux mots gravés dans le bois :

— Qu'est-ce que c'est? Tu faisais partie d'un gang de rue ou tu jouais du synthétiseur dans un groupe rebello-new-wave?

Elle éclate de rire.

— C'était le nom de notre club secret.

— Un club de quoi?

— De mauvaises actions. En quelque sorte.

— Es-tu en train de me dire que tu étais une adolescente rebelle? Sans vouloir te vexer, je trouve ta confession très peu crédible. Tu es incapable de te coucher sans avoir lavé la vaisselle du souper.

Elle retire le tiroir de ses coulisses et le secoue brutalement afin de jeter tous mes vêtements au sol. Perplexe, je me demande si elle souhaite me prouver qu'elle est une vandale niveau expert ou si elle est simplement exaspérée par ma façon de ranger.

Ma belle-maman soulève une planche en bois, révélant ainsi un double fond. Je pousse une exclamation de surprise. Pendant tout ce temps, ma commode d'occasion cachait un excitant trésor: des vieilles lettres écornées, de la peinture en aérosol, une lampe de poche... On se croirait dans un film policier!

Je prends un objet au hasard, une photo de deux jeunes filles de quatorze ou quinze ans postées devant un arbre. Elles portent des bottillons militaires noirs lacés sous les genoux et des tee-shirts beaucoup trop amples pour leur silhouette de canne à pêche. Malgré ses mèches rouges et son maquillage de panda gothique, je reconnais tout de suite ma belle-mère.

— Lina et moi avions un tempérament… hum… indocile. Mais nous n'étions pas comme les autres délinquants. Nous avions un code de conduite. Nos sales coups ciblaient exclusivement les crapules.

Je ne peux pas le croire. Ma belle-maman, celle qui prépare gentiment mes lunchs tous les matins et qui angoisse quand je rentre à la maison avec trente secondes de retard, était une révoltée. Malgré le choc, je dois avouer que cette révélation explique les penchants destructeurs de mes demi-frères, Tim et Lucas.

— Je me souviens avoir versé une demi-bouteille de peroxyde dans le shampoing d'une peste qui taxait les plus jeunes, rigole-t-elle en regardant une autre photo. Ses cheveux sont passés du blond au vert kaki !

— Une demi-bouteille de peroxyde ? Mais qui es-tu ?!

— Ce que j'essaie de te faire comprendre, Émilie, c'est que j'ai rencontré plusieurs intimidateurs dans ma vie. Je sais comment ils détruisent leurs victimes. Je sais comment identifier leurs points faibles. Mais surtout, je sais que tu ne peux pas les affronter seule. Si tu veux mon aide, je dois tout savoir.

Silence.

— D'accord... C'est Jade Cardin. Elle m'a trouvé un surnom ridicule, elle écrit des graffitis dans les toilettes, elle se moque de moi du matin au soir... Je suis en marge de la civilisation depuis une semaine ! Et je ne te parle même pas du vol quotidien de mon lunch, ce qui n'est qu'un élément périphérique du cauchemar.

Une lueur de rage traverse ses pupilles. Ses joues se creusent comme si elle serrait les dents. Le barracuda vient de sortir de sa longue hibernation et il est prêt à passer à l'attaque.

— Bon. Je veux bien te donner un coup de main.

Je saute de joie. Marion reste impassible.

— Ne te réjouis pas trop vite... Tu ne dois rien révéler à ton père. Ni sur ma contribution ni sur mon passé, ajoute-t-elle en désignant le double fond du tiroir.

Je ne vois pas pourquoi elle en fait toute une histoire. Ce n'est pas comme si elle cachait un casier judiciaire ou une liaison extraconjugale avec Popeye le marin. Je me contente toutefois de hocher la tête en signe de ma collaboration.

— J'ai une autre condition non négociable. Si ton plan ne fonctionne pas, et que Jade Cardin te fait toujours des misères mardi matin, nous devrons agir toutes les deux en adultes responsables et rencontrer la directrice.

Je déglutis avec peine.

— Marché conclu ?

Pour toute réponse, je tends la main pour officialiser notre entente.

Je n'ai pas droit à l'erreur. La tactique doit fonctionner. Et vite.

JOUR J
(COMME JE PLONGE !)

La déchéance de la canine

Aussitôt notre entente conclue, Marion avait troqué son pyjama molletonné contre sa cape de super-héros. C'est une image, bien sûr. Ma belle-mère ne porte pas de costume en latex pendant ses temps libres. En revanche, elle sait comment transformer un mensonge bancal en histoire crédible, une qualité qui lui vaut toute mon admiration.

Elle avait ensuite réquisitionné pour la journée le studio photo de son agence en agitant la promesse d'une faveur en retour. Le photographe de service ne semblait pas ravi-ravi de sacrifier son samedi pour immortaliser une starlette originaire du pays des glaces, mais il a fait le boulot avec professionnalisme.

Alors que Mira prenait la pose telle une mannequin, ce qui paraissait aussi naturel chez elle que de marcher sur l'eau, Marisol rédigeait un article fort élogieux sur la future vedette montante de la musique finnoise. Sous la supervision étroite de Marion, elle racontait que la jeune prodige qui avait charmé les téléspectateurs avec ses imitations envisageait un retour sur la scène musicale. Elle y affirmait notamment que « sa voix hypnotique pouvait vous arracher des larmes de bonheur » et que « ses fans inconditionnels scandaient son prénom jusque dans leur sommeil ». De quoi rendre Brianna verte de jalousie.

Même Kelly-Ann a participé à notre coup monté à titre de maquilleuse-styliste. Elle ignorait bien sûr le fond de l'histoire. Marion lui a raconté que nous faisions une mise en beauté pour la fille d'un de ses clients.

Moi qui ne lui attribuais aucune expertise en quoi que ce soit, je dois reconnaître qu'elle a fait un travail exceptionnel avec ses cosmétiques et ses pinceaux. J'ai subtilement suggéré à ma meilleure amie de lui demander quelques conseils en matière de poudre bronzante, mais elle n'a pas compris le message.

L'étoile du match revient toutefois à Marion, véritable gourou de la supercherie et de la mystification. Si elle avait encore quatorze ans, elle serait sans aucun doute capitaine de notre escouade tactique. Je me demande parfois si, à force de la côtoyer au quotidien, je n'ai pas hérité de ses habiletés diaboliques...

En quelques heures, nous avions monté un article de journal des plus réalistes qui vantait Mira la superstar, photos à l'appui. Je me suis créé une adresse courriel anonyme et j'ai envoyé le fichier en pièce jointe aux dix élèves les plus bavards de notre niveau. Le pouvoir tentaculaire des réseaux sociaux devait faire le reste du travail.

Et ce matin, quand je suis sortie de l'autobus, j'ai su tout de suite que la rumeur avait fait le tour de l'école deux fois plutôt qu'une.

Mira est devenue un objet de vive curiosité. On l'observe avec intérêt, on la pointe du doigt en souriant, on lui demande de signer un cahier, un étui, une épaule. Certains étudiants, plus potineux, insistent pour prendre une photo en sa compagnie, ce que notre amie refuse catégoriquement.

Assise à ma place habituelle, à la cafétéria, j'attends fébrilement Marisol et Mira qui sont en file pour se procurer une assiette de tofu façon général Tao. Je me ronge nerveusement les ongles sous le regard inquiet de Jean-Simon.

— Calme-toi. Tout va bien aller.

— Tu réalises que la Canine pourrait aussi se venger de ton affront de vendredi ?

— Elle ne me fait pas peur.

— Je ne sais pas trop si je dois te trouver courageux ou inconscient…

— Tu verras. Ta chance va tourner.

Cette remarque me laisse sceptique. Jean-Simon ne croit pas en la chance, pas plus qu'il ne croit en l'astrologie, au tarot marseillais ou aux biscuits chinois. Encore plus étrange, il fouille dans son sac à dos et en ressort un bas blanc.

— Tu sais que je n'ai aucun sens de l'humour quand il est question de mon demi-dieu, alors à moins que ce ne soit vraiment…

— C'est vraiment un bas blanc de Thomas Saint-Louis, confirme Jean-Simon en me remettant la sainte relique. Il est certifié authentique : je l'ai pris dans sa chambre lors de notre visite.

— Tu as commis un vol ?!

— Ce n'est pas vraiment un vol. La pauvre chaussette était seule, oubliée sous une pile de romans policiers, au fond de sa garde-robe. Si ça se trouve, je lui ai rendu service en la sortant de là.

Je contemple la vieille chaussette. Trouée au niveau du gros orteil. Pas lavée depuis des semaines. Couverte de mousses grises. C'est le plus beau cadeau que j'aie reçu de toute ma vie !

— Merci. Ce sera mon porte-bonheur. Et pas seulement parce qu'il a appartenu à mon demi-dieu, mais aussi parce qu'il m'a été offert par un de mes plus grands amis.

Je dépose un bec de remerciement sur sa joue juste au moment où Jade entre dans la cafétéria, escortée par Dinde-Seconde. Elle freine brusquement en nous voyant, elle hésite une fraction de seconde, puis elle se dirige vers moi.

Je prends une grande inspiration et serre ma chaussette sous la table. Je sais pertinemment que Jade vient me voir pour sa manœuvre d'extorsion quotidienne. Il n'y a plus de fuite possible. Je dois affronter mon destin.

— Courage, souffle mon ami.

— Ça sent drôle ici, hurle mon ennemie en s'approchant de notre table. On dirait une tortilla qui aurait fait une saucette dans un aquarium.

Ma tortionnaire pouffe de rire. Elle est la seule. Autour de nous, les jeunes continuent de manger sans lui prêter attention. Dinde-Seconde esquisse un petit sourire encourageant, par simple réflexe.

Jean-Simon se redresse avec assurance, en aucun cas intimidé par la menace de représailles qui lui pend toujours au bout du nez. Son calme imperturbable est encore plus terrorisant que tous les cris stridents de la Canine :

— Qu'est-ce que tu veux, Jade ?

Sur le coup, elle semble déstabilisée, mais son naturel incisif revient au galop :

— Mêle-toi de tes affaires !

Arrivant en renfort, Marisol et Mira déposent leurs plateaux sur la table, puis elles se faufilent près de Jean-Simon entre Jade et moi, comme une forteresse imprenable dotée de six yeux féroces.

— Les affaires de mes amis sont aussi les miennes, philosophe Jean-Simon avec conviction.

— Salut, Mira! glisse timidement Dinde-Seconde.

Piquée au vif, Jade lui lance un regard plein de reproches. Sa complice balbutie des excuses peu convaincantes, puis elle hausse les épaules avec une certaine insouciance. Y aurait-il des tensions au sein de la brigade de la crétinerie?

— C'est terminé, Jade, déclare ma meilleure amie. La guerre est finie. Tu es seule dans ton camp.

Je suis peut-être naïve, mais pas au point de croire que la Canine pourrait capituler aussi facilement. Ce serait une insulte à sa réputation.

Aussi vive que tenace, ma tortionnaire passe sa main entre Mira et Jean-Simon, attrape ma boîte à lunch et sort mon sandwich sans que personne n'ait le temps de réagir.

Confirmant mes craintes, Jade exprime son refus de capituler en prenant une grosse bouchée... qu'elle recrache aussitôt sur le sol.

— Qu'est-ce que c'est?! tousse-t-elle en éventant sa bouche comme si elle était en flammes.

Les têtes se tournent. Les rires fusent. La Canine est de nouveau le centre du monde, mais étonnamment, elle ne semble pas ravie que son agitation hystérique soit un sujet de rigolade. Allez comprendre.

Je sais que la cuisine de Marion ne remportera jamais de concours gastronomique, mais ses plats ne sont quand même pas si infects. Alors que Jade siphonne mon jus, je remarque un petit billet jaune collé à l'intérieur de ma boîte à lunch :

Les larmes me montent aux yeux. Ce doit être les vapeurs de jalapeño.

Le message de Marion me requinque le moral comme une pleine louche de Nutella. Je ne me laisserai pas abattre. Je retrouverai ma dignité bafouée.

— C'est une tortilla, justement. Je l'ai faite spécialement pour toi, avec des haricots noirs et de la sauce mexicaine ultra-piquante. Je te l'offre avec plaisir. Profites-en bien, car c'est la dernière fois que je te fournis le lunch. Compris ?

Les traits de Jade se durcissent. Elle me dévisage comme si elle voulait aspirer mon âme avec une paille en spirale.

— Si tu penses que je vais laisser une pauvre fille comme toi me dire quoi faire, tu es encore plus idiote que je le croyais.

Pour se donner de l'attitude, elle glisse sa tête de gauche à droite, comme un pigeon amateur de hip-hop.

— Si tu penses que je vais laisser une pauvre fille comme toi me dire quoi faire, tu es encore plus idiote que je le croyais, répète aussitôt Mira en singeant sa gestuelle ridicule.

De la voix suraigüe aux intonations dramatiques en passant par le débit saccadé, son imitation est parfaite. Tous les élèves éclatent de rire. Sauf la principale intéressée.

— Et toi, qu'est-ce que tu fous ? crache-t-elle à sa jumelle vocale.

— Et toi, qu'est-ce que tu fous ?

Hilares, les spectateurs sifflent et applaudissent. Jade est muselée, complètement décontenancée par ce perroquet moqueur qui reproduit chaque inflexion, chaque tic nerveux, chaque haussement de sourcil.

En quête désespérée de soutien, ma rivale se tourne vers Dinde-Seconde. Malheureusement pour elle, sa complice vient de se découvrir une passion pour ses lacets. En l'observant bien, je remarque que ses épaules tressautent : elle rigole.

Humiliée et furieuse, la Canine se rue vers la sortie sans ajouter un mot.

— *Jes !* scande Mira dans son finlandais le plus joyeux.

Jean-Simon tape dans ma main en signe de victoire. Seule Marisol semble perdue dans ses réflexions.

Je ne peux pas croire que mon bourreau est parti sans me promettre une terrible vengeance. Soulagée, j'ausculte mes crudités, afin de m'assurer que Marion ne les a pas trempées dans l'eau savonneuse au préalable. Je suis sur le point de croquer un poivron quand Marisol plaque mon bras sur la table :

— Pas si vite…

— Je viens de vérifier, mes légumes n'ont pas été saupoudrés de poivre de Cayenne. Je peux manger maintenant ?

— Non. Ce n'est pas ton poivron qui me fait peur. C'est Jade. Ton lecteur de musique est dans le vestiaire des filles, non ?

— C'est ce qu'elle a dit au party. Je le récupérerai avant le cours d'éducation physique cet après-midi. Pourquoi es-tu si tendue ? Notre plan a fonctionné !

— Je ne veux pas être pessimiste, nous avons assez de Jean-Simon, mais j'ai un mauvais pressentiment. Si tu veux revoir ton lecteur de musique sain et sauf, il vaudrait mieux aller le chercher maintenant.

Les pensées se bousculent dans ma tête. Il est vrai que Jade tient toujours mes biens en otage. Et si elle les jetait sauvagement aux ordures pour me punir de lui avoir tenu tête ? Et si elle les écrabouillait à coups de massue et qu'elle les achevait en les glissant sous la roue d'un autobus scolaire ? !

Je ne pourrais supporter une pareille épreuve. Si la Canine fait du mal à mon lecteur, j'en perdrai le sommeil jusqu'à la fin de mes jours.

Marisol a raison. Il ne faut pas vendre la peau du crocodile avant de l'avoir capturé. La saga ne sera pas terminée tant que je n'aurai pas remis la main sur ce qui m'a été volé.

— Allons-y tout de suite, dis-je en ramassant mon lunch en vitesse.

— On n'a pas le droit d'aller dans les vestiaires le lundi midi, souligne Mira en piquant un cube de tofu avec sa fourchette.

— Ce n'est pas un règlement scolaire qui va les ramener à la raison, rétorque Jean-Simon. Tu peux me croire sur parole.

Sur cette grande vérité, Marisol et moi filons vers le vestiaire interdit avec la ferme intention de mettre fin à cette comédie une fois pour toutes.

Le couloir est désert. Nous avançons tout de même sur la pointe des pieds, par précaution. Marisol ouvre doucement la porte et me fait signe d'attendre dehors, le temps de sécuriser les lieux.

— Tu peux entrer, annonce-t-elle trente secondes plus tard. Commence par le premier casier de gauche, je pars dans l'autre sens. On se rejoint au milieu.

Nous entreprenons nos fouilles avec rigueur et méthodologie. Rendue au casier 14, mon butin comprend une épingle à cheveux et un élastique mauve. Toujours pas de lecteur de musique en vue.

— Une pièce de dix sous !

Je me penche pour ramasser mon trésor, sauf que je me redresse trop rapidement et me fracasse la tête sur le crochet.

— Taaargouargh !

Marisol me fait le signe du silence avec son index. Facile pour ma meilleure amie de garder son calme, elle ne vient pas de se fracturer le crâne ! Je discerne un bruit de pas qui approchent dangereusement. Mon sang fait trois tours. Mon cri a visiblement alerté un surveillant !

— Vite, cache-toi dans le casier ! délire mon amie, paniquée.

Avec sa silhouette longiligne, Marisol se glisse facilement dans son abri de fortune. Malheureusement, mon popotin se montre un peu plus récalcitrant.

Monsieur Lamontagne entre dans le vestiaire et me surprend le haut du corps dans le casier, mais les fesses dehors. Tout être humain normalement constitué aurait éclaté de rire devant cette scène loufoque, mais dans sa jovialité habituelle, mon professeur se contente de froncer les sourcils.

Il entrouvre la bouche, probablement pour se lancer dans un long discours moralisateur, puis il se ravise. Un bout de tissu rouge retient son attention. Il ouvre la porte du casier 287 pour découvrir ma meilleure amie, la moue piteuse et les pattes recroquevillées telle l'araignée en position de repos.

— Comme on se retrouve, soupire-t-il en lui tendant la main… Vous vous mettez volontairement les pieds dans les plats ou vous avez juste un don inné pour la malchance ?

— C'est ma faute, lance une voix fluette du fond du vestiaire.

Ce doit être une hallucination découlant de ma commotion cérébrale, car la personne qui vient de prendre la responsabilité de nos actes est nulle autre que Jade Cardin. Elle arrive des toilettes, les yeux couleur lapin. Tous les indices me portent à croire qu'elle se cachait ici pour pleurer en secret, mais les récents événements me prouvent que je suis une bien mauvaise analyste quand il est question de juger ses intentions.

Suspectant une autre prouesse d'actrice de téléroman, je reste sur mes gardes, prête à nier en bloc les allégations mensongères de mon ennemie.

— J'ai oublié les affaires d'Émilie dans mon casier, vendredi dernier, et elle en avait absolument besoin.

En guise de preuve, elle ouvre le casier 76 et en sort mon lecteur de musique, deux manuels scolaires et un cartable rouge. Elle s'incline devant moi et dépose mes affaires à mes pieds, comme on rend les armes en signe de capitulation.

Marisol et moi restons sans voix, sidérées.

— Merci pour ton honnêteté, Jade, mais le fait est que vous êtes ici toutes les trois et que vous contrevenez au règlement 47.2 du code de vie étudiant.

— Inutile d'en rajouter, se plaint Marisol en traînant les pieds. Je connais le chemin.

— Arrête de jouer les tragédiennes, ordonne monsieur Lamontagne avec exaspération. Je ne vous envoie pas chez la directrice. Je vous donne un avertissement.

Ma meilleure amie lui sourit avec reconnaissance, heureuse de voir que son appel à la compassion n'est pas tombé dans l'oreille d'un fossile sourd et malcommode.

— Mais que je ne vous y reprenne plus !

— Ne vous inquiétez pas, lui répond prestement la Canine.

Elle se tourne ensuite vers moi, de sorte que je ne sais plus trop à qui est destinée la suite de sa phrase :

— Je vous promets de me tenir tranquille. Pour de bon.

ÉPILOGUE

Je ne vous mentirai pas. Jade Cardin ne s'est pas transformée en poisson-clown du jour au lendemain. Elle conserve toujours ses penchants corrosifs, son humour noir et ses dents tranchantes. En clair, le requin est devenu piranha. Je dois cependant admettre que mon ancienne tortionnaire s'efforce de filer doux et qu'elle respecte scrupuleusement notre traité de paix. Enfin, la plupart du temps.

Un journaliste finlandais a contacté Mira pour lui demander de commenter les rumeurs de son retour sur la scène locale. Sur les conseils de Marion, elle a décliné poliment l'invitation et s'est contentée de dire qu'elle évaluait toutes les options. Les élèves lui parlent de moins en moins de sa pseudo-notoriété, et même si tout le monde se bat pour devenir son ami, Mira continue de manger avec nous. Elle envisage même de livrer deux ou trois imitations au prochain spectacle de l'école. Mais sans les manches éléphantesques et le toupet ondulé, je vous rassure.

Vous serez également heureux de savoir que Jean-Simon a fait un grand ménage dans ses tiroirs et qu'il porte désormais des chaussettes assorties. Il a abandonné son statut d'icône de la mode pour redevenir le bon vieux Jean-Simon au style fade et ennuyant. Comme on l'aime.

Contre toute logique, Roseline craque toujours pour monsieur Lamontagne. Ne me posez surtout pas de question quant aux raisons qui motivent son choix. Je peux cependant vous confirmer que Marisol reçoit à présent un traitement juste et équitable de la part de notre professeur, ce qui lui pose de sérieux problèmes quand vient le temps de justifier ses échecs en histoire.

Pour ma part, je suis redevenue un petit poisson invisible dans la chaîne alimentaire de notre école. Ma poitrine format abricot n'est plus un objet de moqueries et je peux enfin savourer les lunchs de ma chère belle-mère le midi. Si je me prive de quelque chose, c'est uniquement par crainte de tomber sur une autre de ses recettes catastrophiques.

Je n'ai rien révélé de son passé tumultueux ni de son sandwich incendiaire. Une petite gaffe suffirait pour que Marion se venge et glisse une tasse de poivre noir dans mon bol de céréales. Mais il y a plus important encore. Cette complicité dans le crime nous a beaucoup rapprochées toutes les deux. C'est un peu comme si nous partagions un même vice caché, un même attrait inexplicable pour la rébellion. Nous sommes à tout jamais liées par le secret, le plus sacré des liens, et je ne voudrais surtout pas ruiner cette précieuse connivence.

Confession plus gênante : je dors maintenant avec mon porte-bonheur sous mon oreiller pour favoriser la chance amoureuse. Oui, je sais, c'est un rituel franchement bizarre. Mais peu importe. La tactique fonctionne et c'est le principal. La preuve, regardez ce que j'ai reçu mardi dernier :

Hei Émilie,

Je suis désolé que Jade te fasse autant de soucis. Tu peux évidemment compter sur ma collaboration. Je ne sais pas si c'est trop tard, mais je viens de trouver un ancien trophée dans la chambre de Mira. Je vais le prendre en photo pour alimenter les rumeurs. Je serai donc officiellement complice de votre campagne de propagande. Mouhaha !

Sans blague, fais-moi signe si je peux faire quelque chose d'autre de la Finlande.

Nähdään pian,

Thomas xx

P.-S. : J'ai déjà eu la chance de découvrir son talent de chanteuse-imitatrice. Ses parents m'ont fait écouter tous ses spectacles, soit trois heures et douze minutes de vidéo. Sans entracte ni coupure publicitaire.

P.P.-S. pour Mira : Bonne nouvelle, ta mère n'a pas préparé de biscuits cette semaine. Mauvaise nouvelle, elle t'envoie des *karjalanpiirakat* farcis de riz au lait. Bonne chance au moment d'ouvrir le colis.

P.P.P.-S. pour Marisol : La rumeur raconte que le père Noël est en vacances sous les tropiques jusqu'au premier novembre. Si je découvre d'autres indices, je te tiens au courant.

P.P.P.P.-S. pour Jean-Simon : Il faudrait demander à ma grand-mère. C'est elle qui m'a offert ce pyjama le jour de mon huitième anniversaire.

P.P.P.P.P.-S. pour mon amie qui me veut du bien : Merci pour la mise en garde, mais je ne suis plus avec Vanessa. Pour une foule de raisons que je pourrai partager avec toi devant un film et un baril de popcorn, si tu le veux bien...

Pas mal, pour une crevette, non ?

REMERCIEMENTS

Merci à Alice Liénard de sublimer chaque tome par sa passion, sa créativité et sa justesse redoutable. Merci à Mélanie Roussety-Guégan de cogiter longuement la pertinence de chaque virgule et de traquer mes maladresses linguistiques avec son œil de lynx. Merci à la merveilleuse équipe de la courte échelle de soutenir tant la série que son auteure néophyte. Merci à ma petite sœur de fouetter mon cerveau en cas de panne. Merci à Arianne et Marjolaine de m'avoir parlé des nains et des esprits frappeurs qui hantent le couloir interdit de leur école.

Merci à tous les disciples convaincus de l'escouade Fiasco qui me confient leurs propres humiliations sous le sceau du secret professionnel. Je ne suis donc pas la seule amoureuse désespérée qui espionnait son prochain en compagnie de sa meilleure amie !

Merci à tous les libraires, bibliothécaires, enseignants, blogueurs et journalistes qui suivent Émilie et Marisol dans leurs délires et qui recrutent de nouveaux adeptes par leurs bons mots. Vous êtes des porte-voix extraordinaires.

Merci aux lecteurs qui éclatent de rire en lisant mon roman dans le métro ou dans l'autobus. Une pub de trente secondes diffusée durant le Super Bowl ne serait pas plus efficace.

Et finalement, un gros *kiitos* à Jean-Philippe Payette, nouveau résident de Helsinki, et Anni Ståhle, de l'ambassade de Finlande à Ottawa, pour la signification exacte des mots « puupää », « tyhmä » et « jes ». Vous êtes beaucoup plus aidants que ces horribles dictionnaires de traduction qui sont disponibles en ligne.

BIOGRAPHIE

Adolescente, Julie Champagne maudissait les exposés oraux et bafouillait maladroitement devant ses interlocuteurs. Aujourd'hui, elle dissimule son handicap en choisissant stratégiquement des métiers qui lui demandent d'écrire au lieu de parler.

LE PROCHAIN FIASCO...

Émilie est en exil forcé dans la toundra québécoise. Elle désigne alors d'office Jean-Simon comme nouvelle recrue de l'escouade Fiasco pour surveiller son demi-dieu, tout juste rentré de Finlande. Lorsque Marisol arrive en renfort pour la sauver des mouches noires, Émilie respire à nouveau... jusqu'à ce que le beau Raphaël entre en piste.

Émilie tiendra-t-elle le coup toute une année loin de son demi-dieu?

Pour connaître toutes les primeurs:
www.facebook.com/lescouadefiasco

DANS LA MÊME SÉRIE :

L'escouade Fiasco, tome 1 :
Le demi-dieu aux bas blancs

L'escouade Fiasco, tome 2 :
La trahison du cornichon